小説
弱虫《よわむし》ペダル
6
原作
渡辺航
ノベライズ
輔老心
岩崎書店

弱虫ペダル⑥ 目次

登場人物《とうじょうじんぶつ》

今泉俊輔《いまいずみしゅんすけ》

自転車競技《きょうぎ》に命をかける、毎日ストイックに走り続ける高校一年生。中学時代は県内《けんない》でも有名なレーサーだった。坂道の走りに関心《かんしん》を持っている。

小野田坂道《おのださかみち》

ママチャリで往復《おうふく》九十キロの秋葉原《あきはばら》への道のりを毎週欠《か》かさず通う高校一年生。自転車に自分の可能性《かのうせい》があるなら、と千葉県《ちばけん》一強い自転車競技部《きょうぎぶ》に入部する。

鳴子章吉《なるこしょうきち》

自転車と友だちを大事にする関西《かんさい》出身のレーサー。浪速《なにわ》のスピードマンの異《い》名《みょう》を持つ高校一年生。坂道のよきアドバイザーでもある。

総北《そうほく》高校自転車競技部《きょうぎぶ》 三年生

主将《しゅしょう》・金城《きんじょう》

田所《たどころ》

巻島《まきしま》

京都伏見《きょうとふしみ》高等学校

御堂筋《みどうすじ》 翔《あきら》

箱根学園《はこねがくえん》自転車部

真波山岳《まなみさんがく》

箱根《はこね》の山道で坂道と出会う。箱根学《はこねがく》園《えん》の一年生。

主将《しゅしょう》・福富《ふくとみ》

東堂尽八《とうどうじんぱち》

前回までのあらすじ

いよいよ始まった、大レース「インターハイ」――。

千葉県代表《ちばけんだいひょう》、総北《そうほく》高校一年生の初心者《しょしんしゃ》レーサー小野田坂道《おのださかみち》もドキドキしながらこぎ始めた。

神奈川県《かながわけん》の江ノ島《えのしま》をスタートしたレースは、第一リザルトの勝負《しょうぶ》で、総北高校のスプリンターの田所《たどころ》と鳴子《なるこ》が、優勝候補《ゆうしょうこうほ》の箱根学園《はこねがくえん》の泉田《いずみだ》をたおし、レースは総北高校有利《ゆうり》で進むことになった。今泉《いまいずみ》は京都伏見《きょうとふしみ》の御堂筋《みどうすじ》と、金城《きんじょう》は箱根学園の福富《ふくとみ》と、ライバル関係《かんけい》にあり、絶対《ぜったい》まけられないとそれぞれが心を熱《あつ》くしていた。

自分に自信《じしん》がもてなかった坂道だが、主将《しゅしょう》の金城から「山道に入ったら、おまえが先頭《せんとう》に立ってチームを引け」と〝役割《やくわり》〟をもらう。「ボクにできるだろうか」となやみながらも必死《ひっし》にペダルをふんでいた。

レースは小田原《おだわら》の市街地《しがいち》へと入っていくが――。

はじまる前に

この巻《かん》では、インターハイのレースが始まっている。

ここでの自転車の高校日本一を決めるインターハイの流れは、

・三日間かけて行われる。
・毎日、朝スタートして、夕方前にゴールする。
・一日目は、江ノ島から百二十台がいっせいにスタート。
・つぎの日からは、前日のタイム差《さ》の順《じゅん》に、秒数をあけてスタート。
・とちゅうでこけて、けがをして走れなくなったら、リタイアになる。
・三日目の最後《さいご》のゴールでトップだった選手《せんしゅ》が総合優勝《そうごうゆうしょう》。
・山道に入ると、各チームの〝坂道得意《とくい》選手〟「クライマー」が活躍《かつやく》する。

これらを頭のかたすみにおいておけば、インターハイがより楽しめるよ。

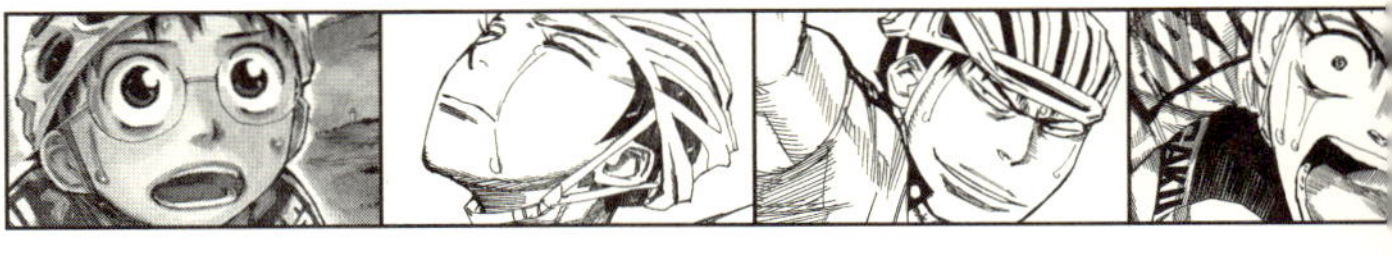

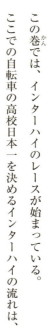

本書は、秋田書店刊の『弱虫ペダル』を
もとに小説化したものです。文章化する
にあたり、台詞など一部改めています。

第一章

箱根《はこね》

市街地《しがいち》へ

坂道が初めて挑戦《ちょうせん》する大レース、インターハイ。

神奈川県《かながわけん》の江ノ島《えのしま》をスタートしたレースは約《やく》三十五キロをすぎた。小田原市街《おだわらしがい》にさしかかろうとしている。

総北《そうほく》高校はここまでは優勝《ゆうしょう》に向けて、絶好《ぜっこう》のスタートを切っていた。スプリンターである田所《たどころ》と鳴子《なるこ》の活躍《かつやく》で、第一リザルトのトップを取り、そのおかげで、集団《しゅうだん》の先頭《せんとう》をゆうゆうと走っている。最大《さいだい》のライバル、箱根学園《はこねがくえん》ほか、約《やく》百二十人の選手《せんしゅ》たちのいちばん前だ。

この先のコースを説明《せつめい》しておこう。

まずは小田原市街に入っていく。そして、市街地を通過《つうか》すると、道は大きく右に曲がり、一日目のゴールがある箱根の山頂《さんちょう》を目指《めざ》す。潮風《しおかぜ》がかおる、海辺《うみべ》の平坦《へいたん》コースがおわり、このあとは上り坂ばかりになる。いよいよ、森の中に入っていく。

総北高校の主将《しゅしょう》・金城《きんじょう》は、ここまではうまくいっている、とかんじていた。

シャ――

シャ――

シャ――

チーム総北のメンバーたちの、ホイールが回る音が快調《かいちょう》に聞こえてくる。つぎのセクション「箱根の山攻《やまぜ》め」では、新しい作戦《さくせん》に切りかわる。そこで金城は、坂道に向かってこう言った。

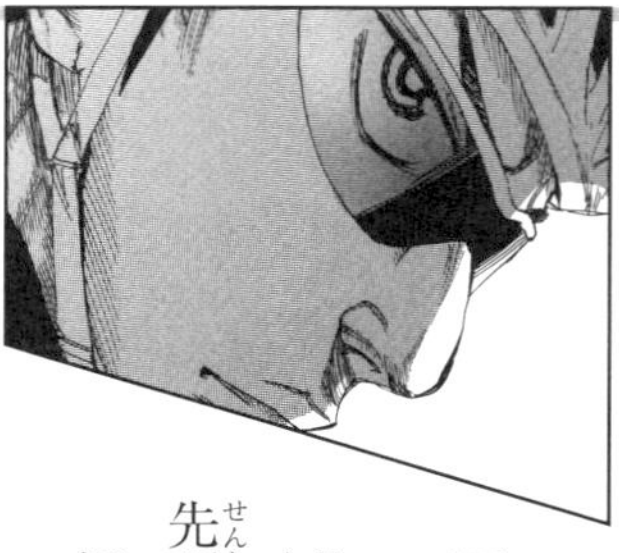

「山に入ったら、おまえが引け」

本格《ほんかく》レース初挑戦《はつちょうせん》とはいえ、上り坂を走るのが得意《とくい》な坂道に、チームの先頭《せんとう》をまかせるというのだ。

坂道に引っぱられて、ほかの五人が登っていくという作戦《さくせん》なのだった。

「はいっ‼」

坂道は力強く返事をした。とはいうものの、さっきから不安で不安で仕方《しかた》がなかった。

「先陣《せんじん》を切って、箱根《はこね》の登りをかけ上がれ！」

坂道は、ペダルをふみながら、心臓《しんぞう》がキュッとしめつけられるようなかんじがした。の

どが急《きゅう》にカラカラになった。きんちょうで体がかたくなっていく。首から耳のうしろにかけて鳥はだが立ち、ぞわぞわした。


「どうした、自信《じしん》がないか。できないか」

と金城《きんじょう》は坂道に言った。坂道は、

「かけ上がる……!!　それが、ボクの役割《やくわり》……ですか」

と小さな声で聞いた。

「そうだ。おまえ以外《いがい》にやる人間はいない!!」

坂道は、金城のこの熱《あつ》い言葉で気持ちが決まった。

「はい!!　かならずやりとげてみせます!!」

と腹《はら》の底《そこ》から声を出した。

「よし!!」

と金城が言った。

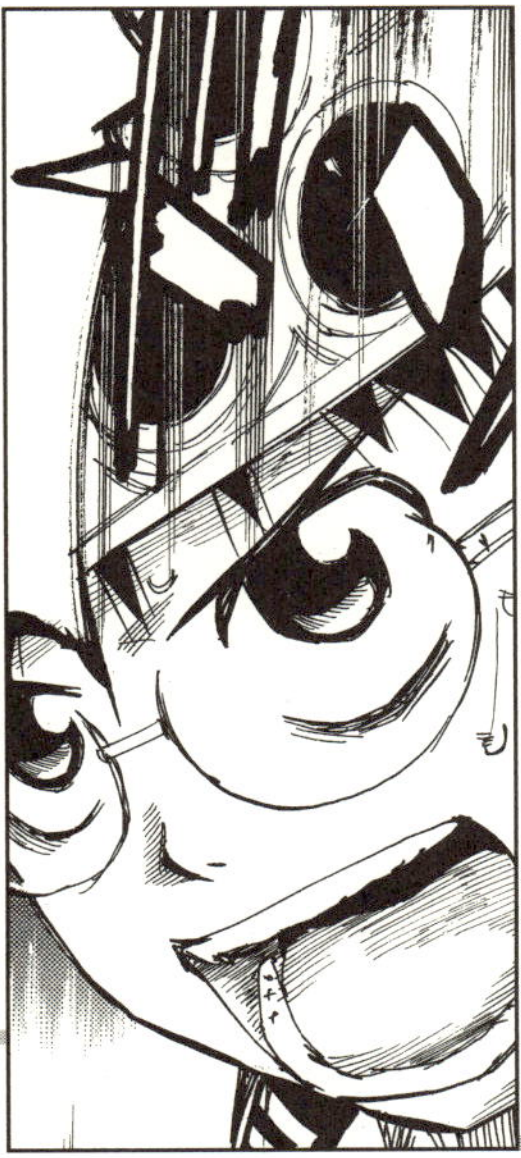

金城《きんじょう》が作戦《さくせん》をつたえおわったころ、先頭《せんとう》の総北《そうほく》は小田原市街《おだわらしがい》に入っていった。

このレースが始まって初めての街中走行《まちなかそうこう》だ。今日の大レースのために自動車は片側《かたがわ》の車線《しゃせん》が通行止《つうこうど》めになっている。

レースでかしきられた街《まち》。ビルディングの間をぬって、ものすごいスピードで自転車の集団《しゅうだん》が走っていく。

「この先に給水所《きゅうすいじょ》があるが、すぐに山だ」

金城が心づもりをするように、と坂道につたえた。

そして、今度は巻島《まきしま》が坂道に教えた。

「気をつけろよォ、こっから先のみじかい市街地区間で山に向かってのポジション争《あらそ》いが起こる。うしろのヤツがどんどん差《さ》をつめてくるショ」

レース初心者《しょしんしゃ》の一年生のルーキーに、三年の先輩《せんぱい》がせわをやく。

「先頭を走る総北に、ほかのチームのクライマーがどんどんならびかけていくということか」

と巻島の話を聞いた坂道は想像《そうぞう》した。

「ほら、来るぜ……頂上《てっぺん》ねらうクライマーたちが！」

巻島の言葉に坂道はうしろをふり向いた。

「あ、箱根学園《はこねがくえん》‼」

青いレーシングパンツ、白いジャージのライバルのロードレーサーがすぐうしろに一台いるのが目に入った。
箱根学園のクライマーといえば……あの人かも!!!
「真波《まなみ》くん……⁉」
坂道は思わずさけんだ。

「よんだぁーーーー!?」

そこにいたのは……。

箱根学園《はこねがくえん》のジャージの別人《べつじん》だった。

消えた坂道

ちがった……と坂道はめんくらった。

その男は、いきなり、ビッと坂道のことを指《ゆび》さした。

「オレは東堂《とうどう》！　箱根学園一の美形《びけい》クライマー。三年の東堂だ！」

ヘルメットから前髪《まえがみ》がたらんとたれている。首には金色のおしゃれネックレス。かっこ

いいだろう、と言いたげに目を細めてポーズを決めている。

「えーっと、あ、はい。えっ⁉　東堂……さん……ですか？」

坂道がちょっとこまっていると、巻島《まきしま》が横から、

「小野田、そいつは知らない人だ、無視《むし》しとけ」

とアドバイスした。

それを聞いた東堂が、

「おいっ！　巻《まき》ちゃん、そりゃないぜ、巻ちゃん‼」

どうやらこの二人は知り合いのようだ。そっぽを向く巻島のことを〝巻ちゃん〟とよんでいる。学校はちがうけれど、友だちなのかもしれない。

東堂は坂道にペダルをふみながら自己紹介《じこしょうかい》を始めた。

「行くよ、いつもの。

登れる上にトークも切れる！　さらにこの美形《びけい》！

天はオレに三物《さんぶつ》をあたえた‼

箱根《はこね》の山神《やまがみ》、天才《てんさい》クライマー東堂《とうどう》とは、
このオレのことだッ！　よろしく！　どうだ‼」

「は、はい……」

坂道はめんくらって生返事《なまへんじ》をした。

「だいたい、いつもこんなかんじの男だ。ほっとくっショ」

と巻島《まきしま》が助けぶねを出してくれた。

そんなことは気にせず、東堂は坂道のことが気に入ったのか、まだまだ話しかけてきた。

「どうしたメガネくん⁉　一年生か、キミは」

「は、はい。はい」

「ムッ、おまえ、よく見たら、三下《さんした》※……だな。ビジュアル的《てき》に……かっこよくないし。

※三下…「したっぱ」という意味

女子にモテんだろう、かわいそうになあ」

坂道はカーッと顔が赤くなった。

モテませんけど――三下ですけど――。

あー、知らない人に、初対面《しょたいめん》で言われてしまった！　それもレースの最中《さいちゅう》に！

坂道は東堂のおしの強さにおどろいた。

東堂はロードレーサーをきようにすべらせて、坂道の真横《まよこ》にならびかけてきた。そして、坂道の背中《せなか》をポンポンとたたきながらたずねた。

「そーかそーか、なにか得意分野《とくいぶんや》はあるのか、キミは？」

「え……あ……はい」

坂道は不安げに小さな声でこたえた。

「じゃ、そいつでがんばるしかねーな‼」
東堂《とうどう》は大きく一つ、ポンと坂道の背中《せなか》をたたいた。
坂道はそのひょうしにきんちょうがとけて、なんだかスイッチが入って体に電流《でんりゅう》が走ったみたいになった。だから、目をかがやかせて、大きな声でへんじをした。
「はい！」

東堂にへんにからまれたおかげで、かえってカチコチになっていた気持ちと体がほぐれたのだった。得意分野《とくいぶんや》のことを考えていたせいかもしれない。
「つーか、おまえ、なにしに来たんショ、東堂」
つきまとわれている一年生を助けるように、巻島《まきしま》がわって入った。

「あいさつだよ」

「あいさつ？　どんなあいさつッショ！」

「オレたち箱根学園《はこねがくえん》は、スプリント区間のトップを、総北《そうほく》にとられたからな。

山に入ったらそうはいかない。箱根は箱根学園の地元《じもと》だ。

知りつくしている‼

走りつくしている‼

こっからゴールまでの山岳《さんがく》ステージは、
マジで好きにはさせないぜ‼」


箱根学園の宣戦布告《せんせんふこく》※……。


さっきまでふざけていたふんいきがピリッときんちょうした。

たしかに、東堂の言うとおりだった。

※宣戦布告…戦い開始を告げること

箱根《はこね》の山道は独特《どくとく》――。ふだんの練習《れんしゅう》から走りつくしている地元《じもと》の箱根学園《がくえん》が圧倒的《あっとうてき》に有利《ゆうり》だ。

巻島《まきしま》と金城《きんじょう》、総北《そうほく》の二人の三年がしんけんな顔つきになったのを見て、東堂《とうどう》は満足《まんぞく》そうな顔をした。そして、「はっはっは、んじゃ、あとでなー、巻《まき》ちゃーん」と、スピードをおとして後方《こうほう》の箱根学園のチームにかえっていった。

さわいで、坂道とからんで、宣戦布告《せんせんふこく》をして、総北の心をみだして、この珍客《ちんきゃく》は視界《しかい》から消えたのだった。

「ハッ!!　わりィがこっちも一ミリもゆずる気はねェショオオ!!!」

と巻島がほえた。

坂道は、今まで見たことがないような巻島の迫力《はくりょく》にぞくっとした。

「今年はいい。チームのことはもう一人のクライマー小野田にまかせておけるからなァ。オレは、思うぞんぶん登れる!!」

巻島はそう言うと、かるくスパートした。サドルから腰《こし》をうかせる。

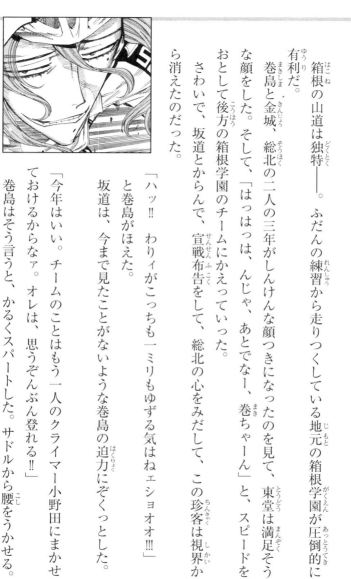

ぐにゃあ、ぐにゃあ

と地面につきそうなほど左右にロードレーサーをゆらす独特《どくとく》のダンシング。坂を登るスピードを上げるためのフォーム、巻島の必殺技《ひっさつわざ》スパイダークライムだ。

巻島はスッと総北の集団《しゅうだん》からぬけて、すぐに五メートルほど前に出た。

それが合図《あいず》になったか、一気にレース全体《ぜんたい》のペースが上がった。

シャ――――――

シャ――――――――

あ、と坂道が思うやいなや、うしろから他校《たこう》の選手《せんしゅ》があがってきた。

うしろから来たのは、長崎北陽《ながさきほくよう》や熊本台一《くまもとだいいち》のクライマーだ。坂道をぬいていく。

「山に向かってのポジション争《あらそ》いが起こる。きょりつめてるッショ」と巻島《まきしま》が言ったように、だれもが上り坂が始まる前に、前のほうのいいポジションをとっておきたいのだ。

巻島がポジション争いをしかけたのだ。

坂道はきんちょうした。

「来てる‼　山に向けて……‼　速《はや》くなった……ぬかれる……⁉
だめだ‼　みんなについていくんだ‼
そうだ、山に入るまではみんなについていって、
〝山に入ったら〟ボクが先頭《せんとう》で総北《そうほく》のみんなを引っぱるんだ‼」

ガァッ!!!
坂道は決死《けっし》の思いでペダルをふみこんだ。

ぐるぐるぐるぐるぐるぐるぐる

シャ――――――――

シャ――――――――

「この先、交差点《こうさてん》、クランクあるぞー、落車注意《らくしゃちゅうい》ーー!!!」

とだれかがさけんだ。

百台をこえる自転車レースの大集団《だいしゅうだん》が小田原市内《おだわらしない》の中心部《ちゅうしんぶ》に入っていく。

大きな歩道橋《ほどうきょう》をくぐると、急《きゅう》に左に九十度の直角《ちょっかく》カーブ、すぐおり返しに右九十度のカーブがある。クランクとよばれる、特殊《とくしゅ》カーブだ。

このコーナーは、このレースの名物の一つ。ここをぬけるには、車体を左にかたむけ、すぐに右にかたむけ、コーナーをぬけて運転《うんてん》しなければならない。

見所《みどころ》の一つだから、沿道《えんどう》では観客《かんきゃく》がたくさん見守っている。

「きたぞ、おおおおおおお!!!」

「大集団《だいしゅうだん》、すごい迫力《はくりょく》だ!!!」

多くの観客がカメラをかまえて、シャッターチャンスをねらっている。

グォオ――ン、グォオ――――ン

シャ――――

シャ――――

いよいよ総北《そうほく》を先頭《せんとう》にクランクにさしかかり、左、右、と切り返してぬけていく。道路幅《どうろはば》いっぱいにロードレーサーが広がった。となりの選手《せんしゅ》のひじがぶつかりそうになりながら、密集《みっしゅう》したまま、すごいスピードで百二十台が、通りぬけていく。

「よし……!!　ここまではいいぞ、全員《ぜんいん》来てる!!」

クランクをぬけおえた金城《きんじょう》がさけんだ。

総北のメンバーは、市街地《しがいち》最大《さいだい》の難所《なんしょ》をぬけたのだ。

田所と鳴子《なるこ》が平坦《へいたん》コースのスプリントで勝ってくれたから、集団の先頭ポジションにいられる。かれらのおかげだ。先頭ならば落車《らくしゃ》にもまきこまれにくい。

「もう給水所《きゅうすいじょ》です」と今泉《いまいずみ》がさけぶと、「各自《かくじ》、ボトルと補給《ほきゅう》をうけとれ」と金城が指示《しじ》を出した。

「そして……すぐ山だ。そなえろ」

「おお!!」

メンバーが力強く返事をした。

見ると、道路の左側《がわ》に、各《かく》チームの補給部隊《ぶたい》がドリンクボトルを手に立っている。

選手《せんしゅ》たちはこぎながら、自分の補給係《ほきゅうがかり》を見つけて、パッとボトルをうけとるのだ。

補給チームもそわそわしている。

「おぉ、総北《そうほく》が最初《さいしょ》に来たぞ！」

「続《つづ》いて箱根学園《はこねがくえん》だ！」

「福富《ふくとみ》さん、こっちです」

給水所《きゅうすいじょ》がにわかにさわがしくなり、そのまわりにいる観客《かんきゃく》も歓声《かんせい》をあげた。

総北のブースでは、マネージャーのミキや、補給部隊《ぶたい》をつとめる二年の青八木《あおやぎ》たちの顔が見える。

「ここだよ」と手をふっている。チーム総北はつぎつぎに道の左にロードレーサーをよせて、スムーズに荷物《にもつ》のうけわたしを行った。

金城《きんじょう》はホッとした。

ここまではイメージどおりにうまくいっている。

うちのチームには力がみちあふれている。

サングラスのおくの目がキラリと光った。そして、充実《じゅうじつ》した気持ちで、金城はいよいよゴーサインを出した。

「よし、一日目の勝負所《しょうぶどころ》!! 山だ。上がれ!! 小野田!!」

金城はゴーサインを出した。

そこへ、「待《ま》ってください、部長《ぶちょう》さん、アカンです」と後方《こうほう》の鳴子《なるこ》がさけんだ。

「鳴子、どうしたァ!!」

「小野田くんが、来てへんです……」

「なにっ!?」

ふりむいた金城の顔が……一瞬《いっしゅん》でけわしくなった。

なんだって……。

小野田が……消えた……。

集団落車《しゅうだんらくしゃ》

シャ――――

シャ――――

ガシャガシャガッガガガ　ズザァッ

イヤな音がした。金属《きんぞく》がこすれあう音。人の体がアスファルトにたたきつけられる音。

きゃあ――――

沿道《えんどう》の観客《かんきゃく》が悲鳴《ひめい》をあげた。

落車《らくしゃ》だぁーーーー!!

集団《しゅうだん》落車発生《はっせい》ーーーーー!!

レース運営《うんえい》のスタッフが、猛《もう》ダッシュで事故現場《じこげんば》にかけよる。

場所は、市民会館前《しみんかいかんまえ》のクランクだ。

「一人がころんで、それにつっかかるようにつぎつぎところんだーーー。結構《けっこう》な台数《だいすう》がころんだぞ」

「スピードが出すぎてたんだ」

その瞬間《しゅんかん》を見ていた観客がこうふんして話している。

「立てるか?」

「給水所《きゅうすいじょ》から応援《おうえん》をよんで」
「けが人!!!」
救護《きゅうご》の人たちが行きかう。
……あれ、なんで空が
見えているんだ……？
と、坂道は思った。坂道の目には、
青空が見える。

まさかの小野田

「小野田がいないだと!?」

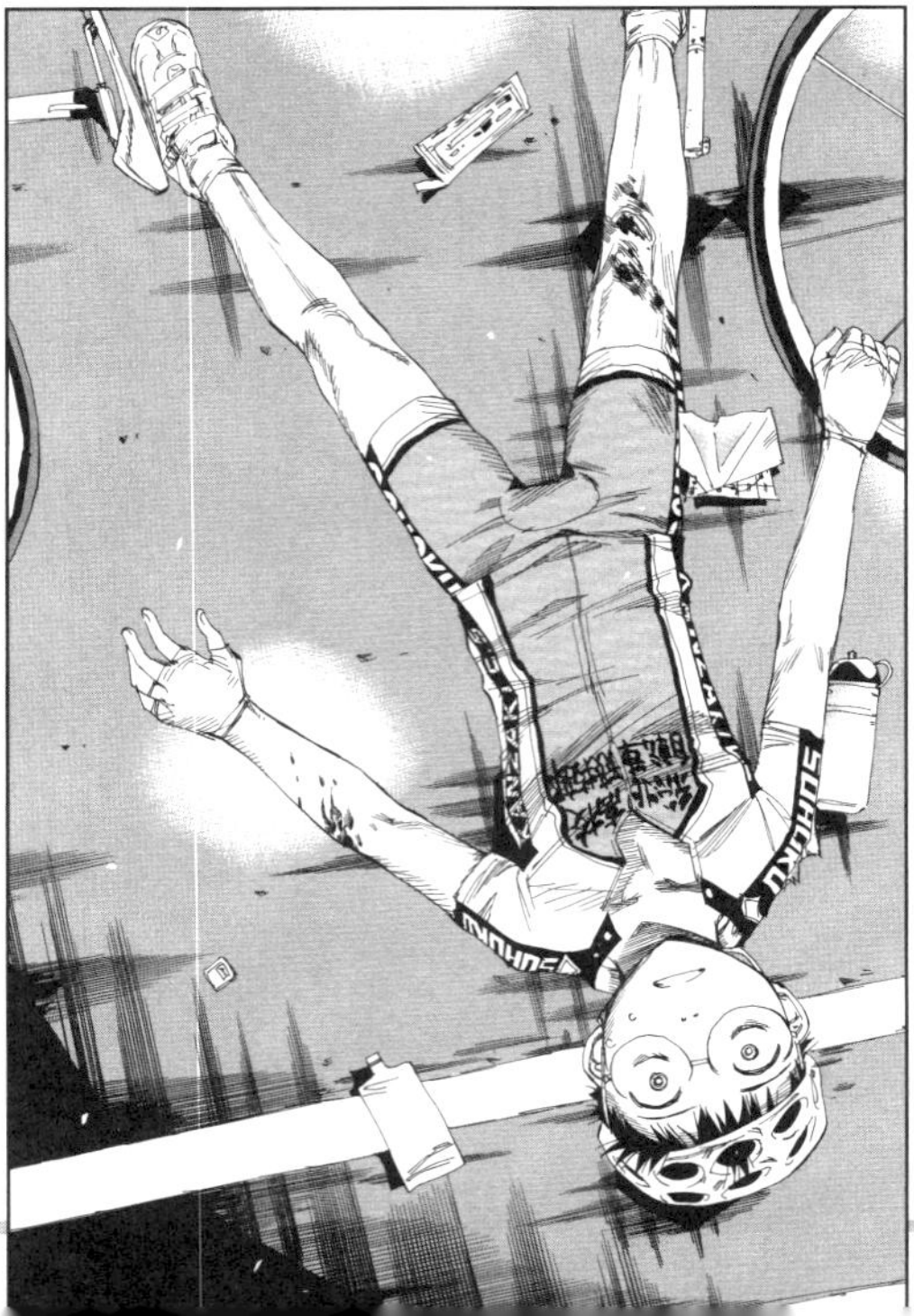

今泉《いまいずみ》、金城《きんじょう》、巻島《まきしま》、田所、鳴子《なるこ》の順《じゅん》で走っている。鳴子のうしろに、坂道がいないのだ。

鳴子はさっきから何度もふり返っているが、坂道が追いかけてこない。

鳴子が説明《せつめい》する。

「たくさんのクライマーが前へとあがってくる中、山に登る前のポジション争《あらそ》いでおされて、うしろに追いやられたんやないすかね。ワイも今まで気づかんくて」

山の前で……!?

……くっ。

金城はまばたきをわすれて目を見ひらいたままだ。しかし、動揺《どうよう》を顔に出すわけにはいかない。

「小野田がもどるまで、このまま今泉《いまいずみ》が引く布陣《ふじん》でいくぞ‼」

「はいっ‼」

すぐさま、冷静《れいせい》につぎのオーダーを出した。ともかく、一台が行方不明《ゆくえふめい》になった総北《そうほく》は緊急事態《きんきゅうじたい》におちいった。

そのとき、うしろのほうから声が聞こえた。

「後方集団《こうほうしゅうだん》で落車発生《らくしゃはっせい》‼」

落……車⁉

それを聞いて、金城《きんじょう》の心臓《しんぞう》はドクンとした。

「後方集団で落車……だと⁉」

「ヤバかったな、前のほうにいてよかったよ」

そんな声が聞こえる。

「オイオイ、落車て……‼　まきこまれたんちゃうやろな、小野田くん‼」と心配する鳴子《なるこ》は思わず、うしろに向かってさけんだ。
「小野田くーん‼」

すると、すかさず田所がさけんだ。
「バカヤロウ。そんな最悪《さいあく》のシナリオ、考えてんじゃねーーよ。コラ」

今泉は完全《かんぜん》に心がゆれ動いた。
小野田……‼
これから山岳《さんがく》ステージに入るってときに……まさか……。

田所がチームの心配をした。

今、クライマーを一人、うしなうなんてことになったら。小野田……。

巻島《まきしま》が眉間《みけん》にしわをよせていた。

シャレになんない……ショ。

シャ――――

シャ――――

それでもレースは進んでいく――――。

空が見える

坂道は、アスファルトにひっくり返っていた。

なんで空が見えるんだろう……。
熱《あつ》い。やけたアスファルトの熱《ねつ》が、体につたわってくる。
フライパンの上にわられた生卵《なまたまご》のようだ。

ン？

ボクはなにをやっているんだ？


「起きられるか？」

「66番、立てるかァ!!」

「43番と44番も落車《らくしゃ》!!」


なにかさわがしい……。

もっとしずかに、みんなといっしょに先頭《せんとう》を走っていたはずなのに。

おかしいなあ。

なんで風景《ふうけい》がとまっているんだ……。

がばッ

坂道は起きあがった。

坂道の前には、何十台もの自転車がたおれている。選手《せんしゅ》たちがころんで、アスファルトにぼう然《ぜん》としてすわっている。

「いてて」と助けをもとめている選手もいる。血《ち》を流している選手もいた。

坂道はわれに返った。

「落車《らくしゃ》だ。落車が発生《はっせい》している。だからみんなたおれて……たおれたんだ、ころんだんだ。まきこまれたんだ」

ボクも……!!

ッツゥー

坂道も左ひじから血を流していた。ころげた拍子《ひょうし》にアスファルトでガリガリとすったようだ。

でも、骨《ほね》はおれてない。坂道は自分の手と足が動くことをかくにんした。

そういえば、自転車がない。

「ボクの自転車……!!　ロードレーサーは!!」

あたりを見回した。

ドン！

そのときに首《くび》をトンカチでズンとなぐられたようなショックがあった。金城《きんじょう》の声が聞こえてきた気がしたせいだ。

「山に入ったら前に出ろ」
「今泉《いまいずみ》の前に出て、オレたちを引け‼」

金城の声が頭の中でわんわんとこだました。

しまった！

そうだ、山だ。すぐそこから山岳《さんがく》ステージなんだ。
部長さんがボクにくれた役割《やくわり》……。
役割……ボクのなのに……。
なのに……なにやっているんだ、ボクは！

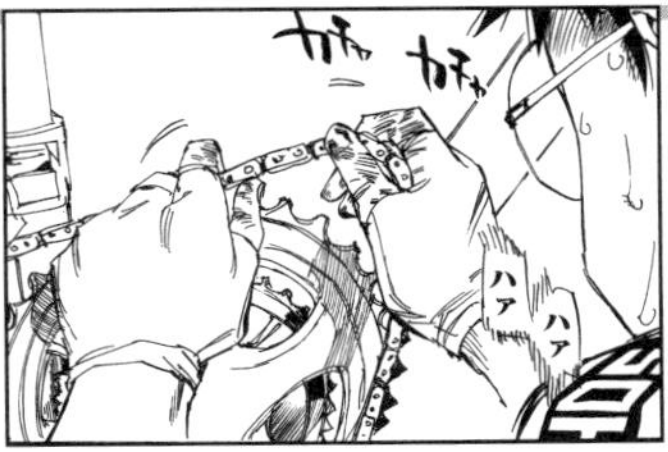

自転車は少しはなれたところにすっとばされて、むざんにもころがっていた。
坂道はかけよると、走れるかどうか点検《てんけん》を始めた。

「くそっ、チェーンがはずれている。ああ、もう！」

カチャ……カチャ、カチャ

坂道は必死《ひっし》でチェーンをはめなおそうとした。しかし、あせってうまくいかない。

「落ちつけ、落ちつけ、落ちつけ……。
落車《らくしゃ》からそんなに時間はたっていない。今からなら全力《ぜんりょく》で行けばまにあう」
まにあう。まにあう。まにあう。
自分に言い聞かせた。

カチャン

「よっしゃあッ！　ハマった。なおった‼　行くぜ」と、となりから声がした。坂道と同じように、落車《らくしゃ》でチェーンがはずれた知らない選手《せんしゅ》の声だった。

かれは「とりあえず集団《しゅうだん》に追いつくぞー」と、もうれつないきおいで走り始めた。

それを見て、坂道はまたあせった。落車して、また走り出した選手もたくさんいる。

いったいなんだって、こんな目にあうんだとかなしくなった。

みんなを引っぱるんだ。それがボクの役割《やくわり》だ。

ボクにしかできないって部長《ぶちょう》さんも言ってくれた‼

せっかくもらった役割なんだ。

今、今がやるときなのに。

そのとき、カルルッと音がして、ようやく歯車《はぐるま》がチェーンをつかまえた。

ペダルを手で回すと、ちゃんとかみあって、糸車《いとぐるま》のようにくるりと後輪《こうりん》が回った。

よし、なおった！

気がつくと、左のひじだけじゃなくて、右のひざもすりむけていて、そこからも血《ち》が出ていた。

だいじょうぶだ、だいじょうぶ。

ころんだキズもたいしたことない。

そんなことを気にしている場合じゃないと、坂道は自転車にまたがった。

そのとき、審判員《しんぱんいん》が名簿《めいぼ》を見ながら話しかけてきた。

「あ、176番、えーっと小野田くん？　リタイアする？」

「えっ？　リタ……？　いえっ、しません!!　なんでですか!?」

「いや、キミが最後《さいご》の選手《せんしゅ》だから。今、キミ、最下位《さいかい》だよ」

気がつくと、あたりはしずまり返っていた。さっきまで、山のようにあった自転車《じてんしゃ》もころんだ選手も、どこにもなかった。

そこにはからっぽの舗装道路《ほそうどうろ》があるだけだった。

坂道は、一人ぼっちだった。

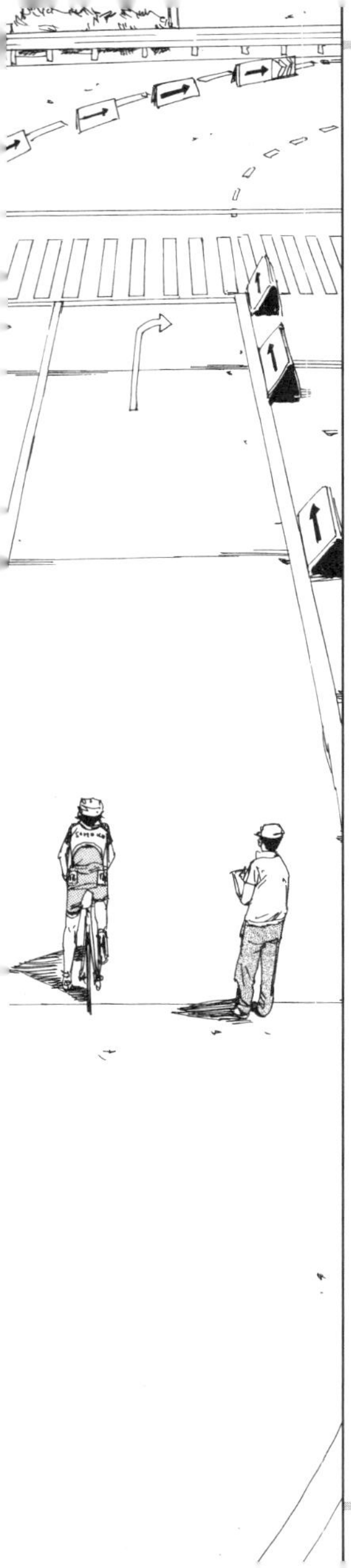

「おつかれさまでしたー。かたづけを始めてくださーい」
と、ボランティアスタッフがコース上の標識《ひょうしき》やかんばんをかたづけ始めた。

その中で、坂道はぼうぜんと立ちつくした。

……え。

坂道不在《ふざい》

一方、そのころ、坂道をなくした総北《そうほく》は——。

総北は先頭集団《せんとうしゅうだん》にいる。
引っぱるのは今泉《いまいずみ》だ。

ところが今泉《いまいずみ》は平坦《へいたん》コースでみんなを引き続《つづ》けて相当《そうとう》つかれている……。

このペースでは山頂《さんちょう》まではもたない。

鳴子《なるこ》も田所も平坦コースで仕事《しごと》をしてきて、ついてくるのがやっと……。

山岳《さんがく》は巨大《きょだい》なふるいだ……。

選手《せんしゅ》は体力とペースの維持《いじ》と敵《てき》とのたたかいをやりながら、登らなくてはならない。

坂は足をむしばむ。

じわじわと心拍《しんぱく》と足を疲労《ひろう》させ、回転《かいてん》をとめる――!!!

坂と敵とおのれに勝つ者しか生き残れない!!

これが一日だけのレースなら、鳴子と田所も十分な仕事をおえたということでおいていくこともできる。

だが、インターハイは三日間。残り二日ある。

チーム全員《ぜんいん》が協力し、助けあわなければ優勝《ゆうしょう》はありえない……!!

全員をつれて、この山岳《やま》をこえていかなければならない!!

広報車《こうほうしゃ》が途中経過《とちゅうけいか》を知らせに回っていた。
「リザルト、小田原《おだわら》のポイントの……」と金城《きんじょう》は目をやった。
掲示板《けいじばん》には「最下位《さいかい》　176　小野田坂道」。
金城、鳴子、今泉、田所、巻島《まきしま》は言葉をうしなった。

「やはり、まきこまれたのか……。まだ山岳《さんがく》は始まったばかりだというのに……。

どうだ……小野田が一人で追いついてくる可能性《かのうせい》はきびしい……か」

と金城は現実《げんじつ》を前に、判断《はんだん》をせまられた。

そして、声を上げた。

「巻島ぁ」

金城はすぐうしろにいる巻島をよんだ。

「ショオ!!　わかってるっショ」

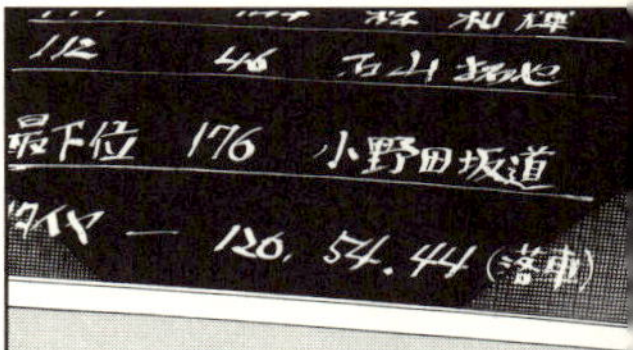

「おまえには他《た》チームをおさえる役割《やくわり》に回ってほしかったが、仕方がない……前に出てチームを引いてくれ」

巻島《まきしま》が、わかってる、という表情《ひょうじょう》でうなずくと「すまないな、巻島」と金城《きんじょう》が返した。

思うぞんぶん、自分のレースができるはずだった巻島は、坂道の落車《らくしゃ》により、チームのために骨《ほね》をおることになったのだ。

「巻《まき》ちゃーーーーん‼」

そこへ東堂《とうどう》を先頭《せんとう》にした箱根学園《はこねがくえん》がやってきた。

「さっきの落車、おたくも一人まきこまれたみたいだな。176番、最下位《さいかい》だったな!! 各《かく》校《こう》、一人二人とまきこまれたみたいだぜ。ひどかったな。けど、うちは全員《ぜんいん》、無事だぜ!! おっともう一校、全員無事のチームがあるっつってたよ。いちばんうしろにいて、まぬがれたらしいぜ。ホラ、あいつらだよ。オレらにケンカを売った京都伏見《きょうとふしみ》だ」

「クフ、クフフ、とーおりゃんせ、とおーりゃんせ、こーこはどこの細……道だ!?」

「京都伏見だ!!」

エース・御堂筋《みどうすじ》を先頭《せんとう》に京都伏見の六台が集団《しゅうだん》後方《こうほう》を走行していた。

百人

山岳《さんがく》ステージが始まった。

総北《そうほく》はクライマーが一人、いないままで走るしかない。

みんなが坂道を思い出していた。

「おいおい、シンキくせー顔してんショ。おめーら、いなくなっちまったモンはしょうがねェだろ!!」

巻島《まきしま》がみんなをはげますように言った。

「前向け、前ェ!!

山じゃ弱《よわ》い者《モン》は落ちる。それが法則だ!!」

巻島の言葉に鳴子《なるこ》がいらだった。坂道のことを考えているのだ。

巻島はおかまいなしに続《つづ》けた。

今、走っている国道1号の最高地点《さいこうちてん》は標高《ひょうこう》八百七十四メートル。

「さぁ、始まるショ!!! 休むことのできねェ、登りオンリーのつづらおりだ。標高差《さ》八百メートルを一気にかけ登る。クライマーのステージがァ!!」

ぐにゃぁぐにゃぁと巻島が本領発揮《ほんりょうはっき》とばかりに前に進み、そこへ今泉以下《いまいずみいか》、四人が続いた。

「待《ま》ってください!!」

冷酷《れいこく》な決断《けつだん》をした巻島に向かって、鳴子がほえた。

「インターハイはチーム戦《せん》やから、あんまいろいろ言わんとこってがまんしてきましたが、部長《ぶちょう》さん!! 小野田くんは、さっきのリザルトではリタイアではなかったです。最下位《さいかい》やけど走れるちゅうことでしょ。走れるチームメイトをおいてく気ですか! それに小野田くんはクライマーや!!」

「一人より二人が有利《ゆうり》です。小野田くんが来るまで、ここで足ゆるめて待《ま》ちましょう!!」

鳴子《なるこ》は必死《ひっし》だ。

「オイオイ、そいつは鳴子、一人がやけどしたから、みんなで火の中に入りましょうって言ってるのと同じだ」

と、巻島《まきしま》があきれ声を出した。

「巻島さんに言うてへんです、部長《ぶちょう》さん!!」

と、鳴子は金城《きんじょう》によびかけた。

ここで足をゆるめて、小野田が来るのを待っていても仕方《しかた》ない、ということは、山を知りつくした巻島がいちばん、よくわかっている。金城は、

「山での巻島の実力、判断《はんだん》の正確《せいかく》さはオレがよく知っている。山での判断は巻島にまかせる」

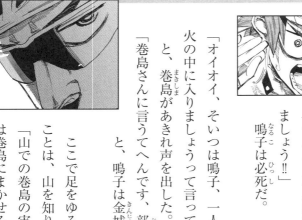

と言った。巻島は「んじゃ、ま、気を取りなおして五人で行こうぜ。オレの呼吸《こきゅう》にリズムをあわせるショ。まだまだキツイ登りが待ってるぜ」と両手《りょうて》を広げて、みんなをふり返り、うながした。

「巻島さん、あんた同じクライマーでしょ!!」

鳴子は坂道の無念《むねん》さを想像《そうぞう》して言った。

「わるい、鳴子。オレ、べったりした友情《ゆうじょう》は苦手《にがて》なのよ。それに、そゆ状況《じょうきょう》じゃないショ、コレ……」

まうしろにもう箱根学園《はこねがくえん》がいた。さすが自分の庭《にわ》だと豪語《ごうご》するだけある。

「今、オレが引かずにだれが引くつんだよ」

それを見て鳴子もだまった。

「ワッハッハッ、早いよ早いよ、巻《まき》ちゃん。速度《そくど》上げて、もうスパートか!!」

声をかけてきたのは箱根学園《はこねがくえん》の東堂《とうどう》だ。

「ったく、あとからゆっくり来りゃいいっショ。おたくにゃおたくのペースがあるショ!!」

と巻島《まきしま》は東堂に返した。

「ワッハッハッ、ならんね!!　それはならん!!　オレはおまえと勝負したくて、ここにいる!!」
「やれやれ、どいつもこいつも!!!」と巻島はあきれ顔だ。

手嶋《てしま》の言葉

「小野田が最下位《さいかい》だって!?」

待《ま》てどくらせど、給水所《きゅうすいじょ》に坂道が来ない。総北《そうほく》の補給部隊《ほきゅうぶたい》は心配していた。

「走ってきてないってことは、まだ事故現場《じこげんば》にいるのか」

坂道をさがしてコースをダッシュで走り始めた。

「まさか、大けがを……」

「し、してねーよ!!」

「立ちすくんでるんじゃないですか？　落車《らくしゃ》のショックのあまり立ちすくんでるんじゃ!!」

「小野田くん!!」

そこへ小野田のすがたが見えた。

満身創痍《まんしんそうい》。手足をきずだらけにした坂道が地面を見つめ、思いつめたようにペダルをふんでいる。

「小野田!!!」

その声に、坂道の目に一瞬《いっしゅん》、光がともった。
「だいじょうぶだ、まだ目は生きている!!」
「あ、て、手嶋《てしま》さん」

かけよる手嶋に、坂道はすがるような声を出した。

「まだ、走れるな?」

「はい」

「けがは?」

「少しです」

「行けるか?」

「はい」

これだけをかくにんすると、手嶋は言った。

「よし!! ボトル、新しいのにかえとくぞ」

「手嶋さん、あの……こんなときですけど、一つ、聞いてもいいですか」
坂道は自信《じしん》なさそうに言う。
「ボクは役割《やくわり》をまかされました。だから、みんなに追いつきたい……けどボクは最下位《さいかい》です。みんなは先頭《せんとう》のほうにいる……この差《さ》をボクは追いつくことができますか？」
その言葉に、手嶋はハッとした。

坂道のあせのしずくが地面に落ちた。


「『だいじょうぶだ』とかテキトウなことは言わねェ。だから」

ドクンドクン
坂道の心臓《しんぞう》が音を立てる。

手嶋はここまで言うと、坂道の背中《せなか》をドンとおして言った。

「おめーならできるよ……登りで百人ぬけ!!　そしたらかならず追いつく!!」

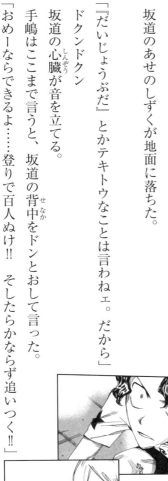

坂道は前をぐっと見て言った。

ハンドルを持つ手に力が入り、目が前をぐっと見すえた。

「はい!!」

手嶋《てしま》、青八木《あおやぎ》たち全員《ぜんいん》がダッシュしながら、坂道の背中《せなか》をおした。

「よし、オレたちの想《おも》いもつんでいけ!小野田!!」

「はい‼」

ハァハァハァハァハァハァ
かならず追いつく‼　追いつく‼　追いつく‼
百人‼　ぬく‼

坂道が猛《もう》ダッシュで消えた。

「小野田ぁーーーッ‼」
坂道の背中を見送る手嶋たちは、だれもが祈《いの》るような気持ちだった。

ヒュウ……。

風とともに坂道が消えると、ほかの学校の生徒たちからこんな声が聞こえてきた。

「聞いたか、今の……百人って」

手嶋《てしま》の「百人、ぬけ」という言葉をそばで聞いていたのだ。

「ああ……でも、いくらなんでもなァ」

「ムリだろぉ。だって、選《え》りすぐられたインターハイの選手《せんしゅ》百人だからな」

「なんか加速装置《かそくそうち》でもついてりゃ、べつだがな」

「おいおい、ありえないよ」

口々《くちぐち》に「ありえない」とあきれている。

そんな坂道のがんばりに水を差《さ》すような言葉を聞いて、
ミキは祈《いの》るような気持ちになった。

ぐるぐるぐるぐる

そのころ坂道は猛然《もうぜん》とペダルをふみ、坂をかけ上がっていた。

百人目の背中《せなか》が見えた。

その選手が坂道に気がついた。

「くそっ、一人上がってきた。最下位《さいかい》のヤツか……」

と、その選手がふり返って坂道をちょっと見たそのスキに坂道は追いぬいた。

「え、ちょっと待《ま》て。うわっ、なんだその速度《そくど》は」

坂道のカウントが始まった。

「まず、一人ぬいた。残りは九十九人！」

ヒメッ

「恋《こい》のヒメヒメぺったんこ」が頭の中でぐるぐる回る‼

鼻歌《はなうた》

箱根《はこね》の山道。きつい上り坂。前にもうしろにも人がいない。

はぁはぁはぁはぁはぁはぁはぁ

聞こえるのは、自分の息《いき》の音だけ。

追いつくんだ。

みんなに。

ヒメッ‼　ヒメヒメッ♪

みんなに追いつくためには――。
坂道はさっき手嶋《てしま》が背中《せなか》をバンッとおしながら言ったことを思い出していた。
「登りで百人ぬけ。そうしたらかならず追いつく」
そうだ、百人、追いぬく‼
百人、追いぬけば、総北《そうほく》のみんなに追いつく。
前のほうに選手《せんしゅ》のすがたが見えてきた。
坂道はそれをとらえた。
ヒメッ‼　ヒメヒメなのだ♪
目には力がみなぎり、背中から気迫《きはく》がたちのぼる。

坂道に気がついた選手《せんしゅ》たちがふり返った。

「一人、追いついてくるぞっ」

「あいつ、あのメガネ。落車《らくしゃ》のとこでモタついてたヤツだ」

うしろにせまる坂道をけん制《せい》し、「そう、かんたんに行かすかよ!!」とスパートした。

ところが坂道がすぐ横にきて、はなれない。

「こいつ、思ったより速《はや》い……」とあせる。と同時にぬかれそうになった選手は耳をうたがった。

なにか聞こえるのだ。

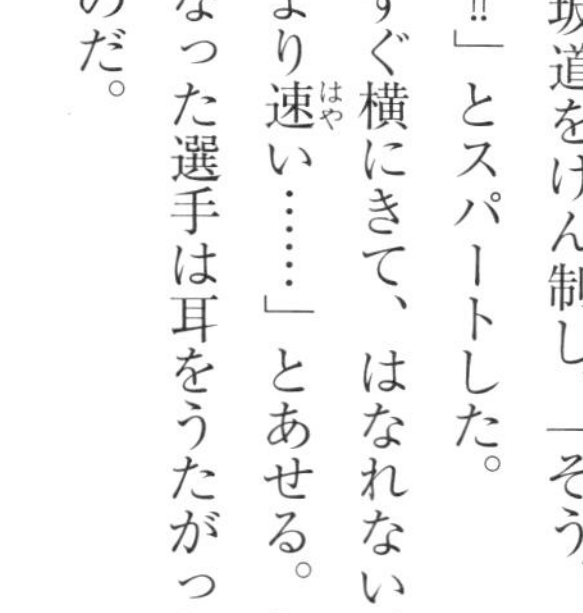

ヒメッ……ヒメなのだ!!

こいつ……歌? 鼻歌《はなうた》!?

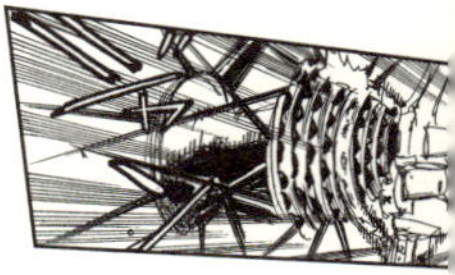

ガシャン

坂道はギアを変速《へんそく》し、一気にぬいた。

「九十九人!!」

さっき一人ぬいたから。残り九十九人。

そして、またたくまに五人をぬいた。

あと九十四人!!

ぬかれた選手たちがぼう然《ぜん》としている。

「なんだ、今のは……!!」と目をうたがっている。

「メチャクチャなコースどり。ムリヤリぬいていったってかんじだったぞ」

「回転数《ケイデンス》、すげえ、回してたな……あのいきおいで……先頭集団《せんとうしゅうだん》にでも追いつくつもりか……」

「先頭に!? いやぁ、さすがにそりゃムリだろ」

「落車《らくしゃ》で相当《そうとう》タイム差《さ》がついてるから、よっぽど登りに強いヤツでも……」

坂道にぬかれた選手《せんしゅ》たちがそんな会話をかわしていると、城南《じょうなん》高校の平田《ひらた》という選手がハッとして言った。
「ここ登りだよな? けっこうなハードなコースだよな。あいつ、追いぬいていくとき、鼻歌《はなうた》うたってた……」

そのころ、総北《そうほく》高校の補給部隊《ほきゅうぶたい》の手嶋《てしま》たちはコースの撤収《てっしゅう》の始まった道路《どうろ》の上にいた。
「そういえば、やっぱりムリあるんじゃないですかね。ひゃ……百人……て、選手が百人ですからね、選手! いくら、かれが登りに強いからって箱根《はこね》は難所《なんしょ》ですよ。昨年《さくねん》、ボクも父親とサイクリングで登りましたけど、五回、足つきましたよ。いや四回だったかな?」

と杉元《すぎもと》が必死《ひっし》で不可能《ふかのう》だと力説《りきせつ》しているが、それを手嶋は相手《あいて》にしない。

「オレは不可能だとは思っていない」

杉元はあわてた。

「そ、そりゃ、そうですよ。ボクもチームメイトですから、あきらめてるわけじゃないんですけど、さっき他校《たこう》の人が言ってましたけど、加速装置《かそくそうち》でもないかぎり……って。たしかに実際問題《じっさいもんだい》、加速装置があるわけないので……」

杉元の言葉をさえぎって手嶋が言った。

「追いつけない――か」

杉元は、こくっとうなずいた。

仁王立《におうだ》ちした手嶋はこう言った。

「だったら、見つけるんじゃないか、自分なりの加速装置って、ヤツを」

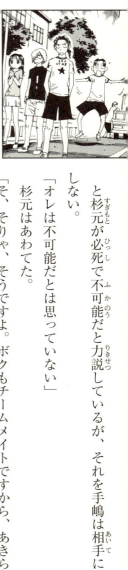

あわてて杉元《すぎもと》が「さすがに急には用意できないのでは……」と口ごもった。

「オレが知っている坂道は極限《きょくげん》まで追いつめられて、どうしようもない、そういうときにこそ、進化《しんか》する男だぜ‼」

坂道の加速装置《かそくそうち》……。

六人、ぬいた坂道はまた、一人になった。

前にもうしろにも選手《せんしゅ》はいない。

目指《めざ》すは巻島《まきしま》だ。

「鳴子《なるこ》くん、今泉《いまいずみ》くん、部長《ぶちょう》さん、田所さん、巻島さん。待《ま》っててください。かならず追いつきます‼」

背水《はいすい》の陣《じん》、絶体絶命《ぜったいぜつめい》。

「ここでがんばらなくて、いつ、がんばるんだ」と自分をふるい立たせる坂道に、〝加速装置〟のスイッチが入った。

ヒメッ♪

そう口ずさむ。

ヒメッ♪

ヒメッ♪

坂道の頭の中で『ラブ☆ヒメ』のオープニングテーマ『恋《こい》のヒメヒメぺったんこ』が回っている。

なんでかな、さっきから集中すればするほど、歌が頭の中でうずまく……。

ゼッケン135番をとらえた。

坂道はふしぎだった。ふざけているわけじゃないのに、むしろ走りにだけ集中しなきゃいけないのに、景色《けしき》と歌がいっしょになって、つぎつぎにうしろに消えていくかんじ。体はきついけど、ふしぎと気持ちいい……!!

坂道は、今泉《いまいずみ》が練習《れんしゅう》のとき、「登りはリズムだ」と言っていたことを思い出した。

これもリズムなのかな。

むかし、学校のうら門坂《もんざか》も、この歌をうたいながら登ってたな。

追い上げ

上り坂の前方、カーブのむこうに集団《しゅうだん》が見えた。駿星学園《しゅんせいがくえん》の一団《いちだん》だ。

一人がうしろから来る坂道に気がついた。

「うしろから一人来てる。すごいいきおいあるぞ」

先をこされないように、にわかにコースを変え、坂道をブロックする作戦《さくせん》に出た。

「イン側《がわ》はオレがふさぐ」と先頭《せんとう》が言えば、「だいじょうぶだ、登りで速度《そくど》にのっているヤツほど、おさえるのはたやすい‼　少しコースをふさぐだけで自重《じじゅう》でブレーキがかかる」

「登りで一度、落ちた回転数《ケイデンス》はそうかんたんにはもどせないんだ‼」と二番手《ばんて》が言った。

坂道にそんなことは聞こえない。
目標《もくひょう》はとにかくぬくことだ。
「左のカーブのおわった直線《ちょくせん》でしかけてくるぞ。気をつけて――――」と三番手が言いかけたところで、坂道がせまってきた。坂道はギアを一気に変速《へんそく》した。

ヒメエエエエエエ‼
なのーーーーだァァ‼

「大《おお》そとからダンシングで一気に⁉」

「マジかよ、メチャクチャなぬきかただな、あいつ」
「なにも考えてねェんじゃねーのか、ヒメって⁉」
「ヒメ……ダンシング⁉」

ぬかれた駿星《しゅんせい》の一団《いちだん》はおどろいている。

「176番……なんだ、あいつ。まっすぐ山の上の方を見ているかんじだったぞ……」

十四人ぬいた坂道は、山のむこうで待《ま》っている総北《そうほく》しか頭にない。

「残り八十六人‼」

ヒメッ♪　ヒメヒメッ！

坂道の歌声が山にこだました。
うたえばうたうほど、力がわいてくる気がする、と坂道は先を急《いそ》ぐ。
ぬかされた選手《せんしゅ》は「この斜度《しゃど》を、うたいながら」と絶句《ぜっく》し、
「それって、オーバーペースじゃないのかよ」と開き直った。

残り六十七人‼
三十三人を歌に助けられてぬいた坂道。

ハァハァハァハァ

追いつきます‼
かならず‼
待《ま》っててください、みなさん‼

第二章

山神《やまがみ》 東堂《とうどう》

葛藤《かっとう》

山のいただきに入道雲《にゅうどうぐも》が見える。
夏の空だ。
少し風が強いが、晴《は》れわたっている。

ハァハァハァハァ
みんなの息《いき》があがる。

巻島《まきしま》ひきいる総北《そうほく》は、先頭《せんとう》をキープ。
しかし、続《つづ》く箱根学園《はこねがくえん》はすぐうしろにいる。ゆだんできない。

山岳《さんがく》コースのリザルトラインは、国道1号の八百七十四メートル地点にある。ここからまだまだ登らねばならない。

巻島はチーム全員《ぜんいん》がつかれていることに、気がついていた。

「今泉《いまいずみ》、鳴子《なるこ》、田所っち……ここまで平坦《へいたん》コースで仕事《しごと》をした連中《れんちゅう》は足につかれがきている。くわえてこの暑《あつ》さだ……」

ようしゃなく、てりつける日差《ひざ》しがみんなの体力をうばう。

考えろ……。斜度《しゃど》と回転数《ケイデンス》とギアと疲労《ひろう》と敵《てき》の動きと……。

ひつようなのは最適《さいてき》なペース。

クライマーはオレ一人……。

オレの役割《やくわり》は、こいつらを全員、山の上まで運《はこ》ぶこと。

箱根《はこね》の難所《なんしょ》をのりこえることが総北優勝《そうほくゆうしょう》の最低条件《さいていじょうけん》……ショ!!

坂道がクライマーとしてくわわったことで、巻島《まきしま》は全員《ぜんいん》を引っぱる役《やく》ではなく、一人で先へ行けるはずだった。が、坂道がいないとなれば、話は変わってくる。

「こいつをツータップすりゃ、ギアが変わる。そして、思いっきりふめる」

いや――徹《てっ》しろ。今はチームのクライマーとしての役割《やくわり》がだいじだ。

巻島は自分《じぶん》の気持ちをおしこめたかのように、ペダルをふんだ。

その巻島の気持ちがよめたのか、うしろを走る金城《きんじょう》が言った。

「巻島……すまないな」

なにも金城にあやまってもらうことはない、とばかりに巻島は答えた。

「クハ!!　気をつかいすぎなんだよ、金城、おまえは!!　去年《きょねん》もそうしたじゃないか。オレがつれてってやるよ。てっぺんまでな」

そこへ、箱根学園《がくえん》の東堂《とうどう》が下から追いかけてきた。

「どうした総北、どうした巻《まき》ちゃん‼ 勝負《しょうぶ》しようぜ‼ ジャマなほかのクライマーももうそんなにいねェ。そろそろじゃねーか⁉」

巻島と勝負したい、と言う東堂。

「オレはチームの引っぱり役を、一年の真波《まなみ》にまかせればフリーだ‼ 楽しみだな‼ 胸《むね》がおどるな‼ 巻ちゃんもそうだろう、同じクライマーだからな‼」

東堂は、つづら重なる国道一号線、箱根の道のてっぺん、最高地点《さいこうちてん》八百七十四メートルまで巻島と勝負したい、と言うのだ。

「このインターハイの舞台《ぶたい》でそれが決《けっ》するなんて、最高だな‼ 最速《キング》の《オブ》山神《マウンテン》の称号《しょうごう》が‼」

一人息《いき》まく東堂だが、一方の巻島はなにか言いたそうだ。

そこに箱根学園《はこねがくえん》のうしろからぬこうとしている輩《やから》が来た。

東堂《とうどう》のアタック

があああああ

一台の自転車が不意打《ふいう》ちで東堂と巻島の前にとび出してきた。

箱根学園でも総北《そうほく》でもない、赤いレーシングパンツの選手《せんしゅ》だ。

「アタックだ!!　一人ぬけ出た!」

「箱根学園のうしろで機会《きかい》をうかがっていたんだ!!」

箱根学園の泉田《いずみだ》がさけんだ。

赤いレーパンは一気に速度《そくど》を上げて、総北と箱根学園のひとかたまりを引きちぎって、どんどん先へ行く。新展開《しんてんかい》だ。

山岳《さんがく》コースだが、その斜度《しゃど》をものともしない。

「じょうだんじゃないぜ。『山神《やまがみ》がどっちか』だって？　勝手《かって》にもり上がるなよ。オレは長野《ながの》中央工業《ちゅうおうこうぎょう》の館林《たてばやし》‼　長野は山岳の都《みやこ》‼　〝アルプスの山守《やまもり》〟、〝鉄壁《てっぺき》の館《たて》〟とは、オレのことだッ‼」

意気揚々《いきようよう》と、坂をかけ上がっていく館林。

「山岳王《さんがくおう》はオレがとる‼」

またたくまに、館林はカーブ一つ分、みんなよりリードしていった。

それを見ながら、巻島《まきしま》が東堂《とうどう》に言った。

「ほーら。おめえがへんな※口上《こうじょう》を言っているから、こうなっちゃうんだよ」

※口上…芝居用語《しばいようご》で「説明《せつめい》」のこと

「い……いいだろう、一人ぐらいおよがせておいても。何人か先にクライマーいるんだし」

東堂《とうどう》は言いわけしながらも、バツがわるそうだった。そして、

「けど、今のは、オレのせきにんっぽいな。追いかけて、あいつのアタックをつぶしてくるよ」

そう言うとサドルからしりを持ちあげた。さらに、

「真波《まなみ》、オレの代わりにチームを引いておけ」

と、一年の真波に指示《しじ》を出した。

「はい」と、真波は返事をした。

「いっくぜ～」

なにかが始まりそうだった。なにが起こるのだろうかと、今泉《いまいずみ》と鳴子《なるこ》は初めて見る東堂の走りに注目した。
出るショーー、東堂の。
巻島《まきしま》だけが東堂がどんな動きをするか、わかっていた。

「東堂尽八！」と自分で名のると……。
スウゥ――――

「なんや⁉　あの前髪《まえがみ》の人」

鳴子の口がぽかんとあいたままになった。

「音もなく……加速《かそく》だと⁉」

今泉が思わずさけんだ。


東堂があっという間に加速して、箱根学園《はこねがくえん》のメンバーからはなれていった。


ふつう、アタック開始《かいし》で速度《そくど》を上げるときは、ギアチェンジの音や体の左右のぶれ、タイヤが路面《ろめん》にめりこむような気配《けはい》があるものだが、東堂の加速はちがった。まるでゴーストが移動《いどう》するように、音も気配もなく、スゥと速度を上げたのだった。

東堂の必殺技《ひっさつわざ》を初めて見る鳴子と今泉は、あっけにとられた。

「オレは音もなく加速《かそく》する。それは動きにロスがないから!! うしろにつかれた敵《てき》は気づかない」

東堂《とうどう》は音もなく、館林《たてばやし》に近づいていった。まうしろに入っても館林は気がついていない。

「気づいたときには――」と東堂が言ったときに、初めて館林はうしろをふり向いた。しかし、そこにはもう、だれもいない。あっというまのできごとだ。

「……オレはかなただ!!」

東堂はすでに館林の前にいた。

東堂は館林がふり返る瞬間《しゅんかん》に、音もなく、ぬき〝おえて〟いたのだ。
「なんで!!」
館林は絶句《ぜっく》した。

力の差《さ》を見せつけるように、東堂の声がスゥと遠ざかっていく。
「オレの登りは森さえねむる。
だからオレのことをみんなは言う――。
〝眠れる森の美形《スリーピングビューティー》!!〟、スリーピングクライムの東堂ってな!!」

決めぜりふをはなちながら、サッとうしろをふり向き、館林を指《ゆび》さす。これが東堂の決めポーズだ。

館林《たてばやし》はなすすべがなかった。ペダルをふみこむ力をなくして、すぐうしろから来た総北《そうほく》と箱根《はこね》学園《がくえん》のかたまりに、あっという間にのみこまれていった。

こうして、東堂《とうどう》のアタックつぶしはあざやかに成功《せいこう》したのだった。


館林をへこませた東堂はペースをゆるめ、真波《まなみ》が引いているチームに再合流《さいごうりゅう》した。


巻島《まきしま》がちらりと東堂の横顔《よこがお》を見ると満足《まんぞく》げなえみをうかべている。巻島はボソっとつぶやいた。

「〝眠れる森の美形《スリーピングビューティー》〟ってか、おまえ。うらでは〝森の忍者《にんじゃ》〟ってよばれているぞ？」

「え!?　マジで!?　待《ま》て、やだぞ、カッコわるいよ、ソレ!!」

巻島は東堂をからかった。

このひと言《こと》が、東堂のカッコつけタイムをおわらせた。

東堂《とうどう》の挑発《ちょうはつ》

それでも東堂は自信満々《じしんまんまん》のようすで巻島に話しかけた。

「まあいい……。オレはおまえと勝負《しょうぶ》できれば、それでいい。おまえとは過去《かこ》、大きな十四の大会で七勝七敗《はい》……。個人的《こじんてき》にやりあった戦績《せんせき》も五分……」

二人はライバル中のライバル。巻島は、ジロリと横目《よこめ》で東堂をにらんだ。

東堂は続《つづ》ける。

「その決着《けっちゃく》がこのインターハイでつけられることをオレはうれしく思っているんだ。それがかなうなら、オレはダサい〝忍者〟でもかまわない」

そう言う東堂は、とてもすんだ目をしていた。

東堂《とうどう》のさっきの走りは、巻島《まきしま》への見せつけでもあったのだ。

「さあ、二人で思いっきり勝負《しょうぶ》しようぜ」と走りでつたえようとしたのだ。

もちろん、巻島はその思いがいたいほどわかっていた。

「オレだって、おまえと勝負したいショ」という気持ちだ。この右手の変速《へんそく》レバーを、ツータッチ、カチカチっとやれば……と巻島は想像《そうぞう》した。

カチカチっとやれば、ギアが重くなり、太ももで思いっきりペダルをふみこんで、ゴムタイヤがねばりを持ってアスファルトをけり出し、加《か》速《そく》して、加速して……二人のバトルはすぐに始められる。しかし……。


巻島と東堂のこのやりとりを、ななめうしろから金城《きんじょう》がかたずをのんで見守っていた。金城には、巻島が一瞬《いっしゅん》、かなしい顔をしたのが見えたのだ。しかし、今、巻島に行かれてしまっては、チーム総北《そうほく》はバラバラになってしまう。

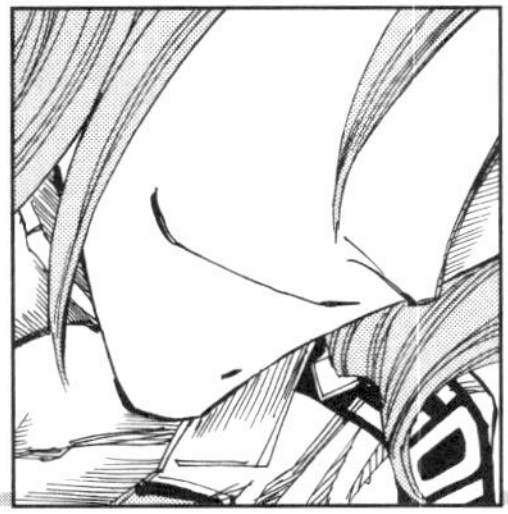

「わるい。かなわねェわ」

巻島はさらっと言った。

そのひと言《こと》で二人の勝負はさけられた。東堂はしんじられないというふうに目を見ひらいた。

「ハァ!?　なに言ってんの、巻《まき》ちゃん!!

イミわかんなかったのか？　オレは勝負しようつったんだ。オレとおまえの決着《けっちゃく》をつけようって!!　箱根《ここ》で!!」

巻島は自分のヘルメットに手をやった。

「――だから、『できねェ』つったんショ」

「オイ……なんだよ。これはわるい夢《ゆめ》かぁ……できねェだって!?」

「…………」

「あの〝登りの巻島《まきしま》〟が⁉ なに言ってんだよ。巻《まき》ちゃん、いいか、箱根学園《はこねがくえん》のオレへのチームオーダーは『箱根の山岳《さんがく》リザルトをかならずとること』なんだ。平坦《へいたん》コースのファーストリザルトを総北《そうほく》にとられたから、つぎはゆずるわけにはいかねぇ。そして、地元《じもと》箱根のメンツもある‼」

そのとき、それを耳にした箱根学園の荒北《あらきた》が舌打《したう》ちした。

「ちっ……東堂《とうどう》、なんでうちのオーダーを他校《たこう》にもらしてんだよ」

おしゃべりがすぎる。チームオーダーはひみつだぞ。それを他校にペラペラもらすなんて‼ と。

しかし、東堂のしゃべりはとまらない。坂をこぎながら、しゃべり続《つづ》ける。

「けど、オレは、おまえをたおして山岳リザルトをとりたい‼」

と、ビシッと巻島を指《ゆび》さした。

巻島はかなしそうな瞳《ひとみ》のまま、なにも言わない。

それに気づいているのかいないのか、東堂のしゃべりは続いた。

「このレースには、全国から足じまんの猛者《もさ》たちが集まっている。山頂《さんちょう》付近《ふきん》には観客《かんきゃく》だってわんさといる。初日《しょにち》だから日数も体力もまだ余裕《よゆう》がある。こんな最高《さいこう》のコンディションで、最高の舞台《ぶたい》・インターハイで、山頂にリザルトラインがあるんだったら……」

そこで、人差《ひとさ》し指《ゆび》をビシッと天に向けた。

「だったら、それをだれよりも速《はや》く登りてェと思うのが、クライマーじゃねーのかよ‼」

巻島《まきしま》は頭をかかえた。心の声がこだまする。

すまねェショ、東堂《とうどう》。うちには今クライマーがオレ一人……。オレがここでとび出すわけにはいかないショ。

そして、その本心を言うかわりにウソをついた。

「いやぁ……じつは昨日《きのう》から、腹《はら》の調子《ちょうし》がえらいわるくてなァ。チームみんなを引くので手いっぱいなんだわ」

巻島がなにを言うのかハラハラしていた金城《きんじょう》、今泉《いまいずみ》、田所、鳴子《なるこ》は、アッと思った。

そうなのだ、今ここに坂道がいれば……。しかし、顔に出すことはできない。

巻島のウソに東堂が引っかかった。

「腹ァ⁉　オレの知ってる巻《まき》ちゃんはそんな言いわけで走らない男じゃないぜ。どうしたんだよなァ‼　なァ‼　とび出すタイミングは今だ‼
行こうぜ、勝負《しょうぶ》だ‼」

「…………‼」

巻島はなにも言えない。

そこへ、

があああああああああ
ああああああああああ

肩《かた》にピンクのラインの山形最上《やまがたもがみ》と、黄色と青のはでな奈良山理学園《ならさんりがくえん》の二台のクライマーがそろって、ぬいていった。ここが勝負所と見てアタックを始めたのだ。

東堂《とうどう》はそれを見て、

「ほかのクライマーも山頂《さんちょう》めがけて動き出している。動け……、動けよ……巻《まき》ちゃん……ウソだろ」

おうじない巻島《まきしま》にいら立ち、懇願《こんがん》するような口調《くちょう》に変わってきた。

「じゃあ、いったい、どうすんだよ。オレたちの決着《けっちゃく》は、いつ、つけるんだよ!!!」

巻島《まきしま》と東堂《とうどう》

思えば、東堂が初めて巻島に出会ったのは、奥秩山《おくちやま》ヒルクライム大会だった。当時、東堂は高校二年。すでにヒルクライム大会での優勝経験《ゆうしょうけいけん》があって、高校ロードレース界ではちょっとした有名人《ゆうめいじん》だった。

東堂がレース前にウォーミングアップをおえて、自転車をおしてあるいていたとき、変わった色の髪《かみ》の毛のヤツがふきげんそうに前からあるいてきて、肩《かた》がぶつかった。

　肩には「総北《そうほく》」の文字が見えた。

「総北？　聞かねえな。しかもオーラ、ゼロだ」

と、すれちがいざまに東堂が言うと、

「おめえもだれだよ」

と、そいつは言った。
「なんだと？　知らねーのか。オレは箱根学園《はこねがくえん》の東堂尽八《じんぱち》、山神《やまがみ》とよばれている男だ」

「カチューシャ、かっこわるいッショ」

と、はっきり言った。東堂は髪をのばしていて、走るときはカチューシャでとめていたのだ。

難《なん》くせをつけてきやがった、失礼《しつれい》なヤツだ、と東堂は思った。

「おめーの髪こそ何色だよ。虫か、タマ虫か」

「クモだよ」

「アッハッハ!!　クモかよ!!」

それが、二人の出会いだった。


いざ、そのレースが始まって、いっしょに走ってみると、巻島《まきしま》は本当にクモだった。

「なんだ、あのダンシングは!?」

ダンシングとは、坂を登るときに、サドルからしりをうかせて車体を動かしながら走るすがたのこと。

巻島のダンシングはほかの選手《せんしゅ》たちとはちがっていた。

こぐたびに、やじろべえのように車体が左右にたおれる。異様《いよう》なまでにバイクをかたむけるダンシングは、たしかに、クモがあるいているすがたに見えた。

そして速《はや》い。

しかも、いったん走り出すと、巻島はたちまちオーラをまとうのだ。

そして、一心にゴールだけを見ている。まるでうえたけもののプレッシャーだ!!

東堂《とうどう》は本気になった。が、巻島よりもおそかった。

「オレがいただく――――」

と巻島に先をこされ、最後《さいご》まで巻島の前に出ることができなかった。

表彰台《ひょうしょうだい》に上がった巻島は表情《ひょうじょう》を一つも変えず、わらいも見せなかった。

「なんでわらわねェ。オレをたおしておまえが優勝《ゆうしょう》したんだぞ。オレは力を出し切ったのに完敗《かんぱい》だ」

東堂はくってかかった。

「もっとうれしそうな顔をしたらどーだ！　くそ!!」

すると、巻島は顔をひきつらせながら、にこッとした。

気味《きみ》のわるい笑顔《えがお》だった。

「今、キモって思ったっショ!!　オレはつくりわらいが苦手《にがて》なんだよ。だから、わらいたくねーんだ」

巻島《まきしま》は言い返してきた。

「バ、バ、バカヤロウ、優勝者《ゆうしょうしゃ》には笑顔《えがお》がひつようだぞ。しょうがねえなあ、オレが笑顔を教えてやる。目はそのまま、歯《は》を見せて……」

ニコッ

コワ……

「いや、も、も、もう一回、やってみよう！」

こうしてなんとか、笑顔を教えたが、「もういいっつショ」と巻島は早くおわりにしたがった。

それから、二人は何度もレースで会うようになった。

「あ、カチューシャ」

「タマ虫……」

「またいるよ！」

いつのまにか、東堂は「巻《まき》ちゃん」とよぶようになった。「巻ちゃん」とよばれると巻島は「クハ」とわらう。

二人はいい勝負《しょうぶ》で勝ったりまけたりしながら、対戦《たいせん》をかさね、実力をぶつけあってきた。

あのときをのぞいては……。

それは、土砂《どしゃ》ぶりのレースだった。

ロードレースはその日がどんな天気だろうが、スタートは切られる。

その日、東堂は先を行く巻島を追って坂をこいでいた。やがて、自転車からおりて、おしている巻島が見えてきた。

「なにやってんだよ」

「パンクだよ」

「ゴールはすぐそこだ。あと一キロも行きゃあ、いいだけだ。タイヤがなけりゃリムで走れ！」

「ムリだ。さっきまでそれをやってたんだけど、今度は前タイヤまでパンクしちまった」

※リム…ホイールの外側の部分

ザアアアと滝《たき》のようにふり落ちる雨が、二人の言葉をかき消していく。

「くそーーー‼　ここまで、オレたちは七勝七敗、せっかく勝負《しょうぶ》がつく絶《ぜっ》好《こう》のレースだったたんだぞ‼!　おたがいにコンディションはかんぺきだったろ‼」

東堂《とうどう》は自転車をとめて、口の中に雨つぶが入ってくるのもかまわず、空に向かってさけんだ。

「パンクは運《うん》みたいなものだ。しょうがないショ。行けよ。優勝《ゆうしょう》はおまえのモンだ」

と巻島《まきしま》は冷静《れいせい》に言う。東堂はぬれねずみになりながら、立ちすくんだ。

「ほら、行けよ。ぐずぐずしているとうしろから来るぞ。心配するなヨオ、オレはグラビアでも見て、ここで回収車《かいしゅうしゃ》を待《ま》つさ。行け……」

その声を聞いて、東堂は思った。

そうか、決着《けっちゃく》がつけられなくてくやしいのはオレじゃなくて、巻島のほうだな。

「この優勝はカウントしねェぞ‼　いいか、つぎが勝負だ。夏のインターハイで。そんときがオレたちの決着《けっちゃく》のステージだ！」
そうさけぶと東堂は自転車にまたがり、雨にぬれる路面《ろめん》をおよぐように、優勝ゴールに向かってペダルをこいで行った。
「クハ、りょうかいだ」
そのうしろすがたに巻島はつぶやいた。

それは初めての二人のやくそくだった。それまではやくそくなんてしたことがなかった。
なぜなら、レースに行けば、かならずすぐ前かすぐうしろに巻島がいた。二人はやくそくしなくても、レースに行けばコース上で自然《しぜん》と会えたのだ。そして、自然とたたかえたのだ——。

山岳《さんがく》リザルト

山頂《さんちょう》にある第二リザルトラインに向けて、攻防《こうぼう》がくり広げられている。

平坦《へいたん》コースの第一リザルトを取った千葉《ちば》の総北《そうほく》高校がペースメーカーとなり、優勝本命《ゆうしょうほんめい》とされる地元《じもと》神奈川《かながわ》の『王者』箱根学園《はこねがくえん》が、それをピッタリとマーク。

すでに、奈良山理学園《ならさんりがくえん》や山形最上《やまがたもがみ》ほか、何台かのクライマーが集団《しゅうだん》をぬけ出してアタックを開始《かいし》している。

そんな中、コース上では東堂《とうどう》の声がさっきからひびいている。
「巻《まき》ちゃん、なぜ、勝負《しょうぶ》がかなわない!!!
巻ちゃん、ふみ出せ、目指《めざ》そう、
おたがいに山頂を!!!」

巻島《まきしま》はなにも言わない。

「巻ちゃん、だって最後《さいご》なんだぜ、
これが二人で勝負《しょうぶ》できる最後だ。
オレたちは、三年生だ。
このインターハイが最後のレースなんだ!!」

「あーーーーー、しょうがねェ!!!」
そう言うと、巻島は右手の中指《なかゆび》で変速《へんそく》レバーを二回はじいた。

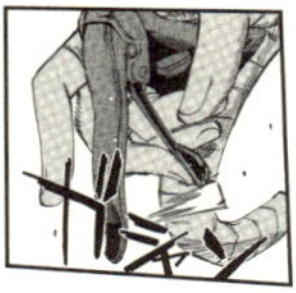

ガシャン、シャン　ギャッ

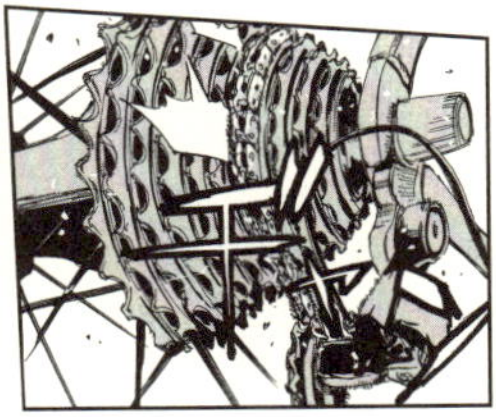

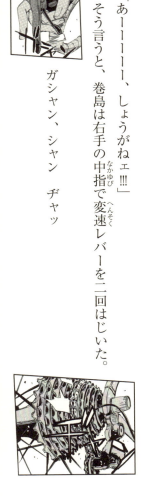

チェーンと二つどなりのギアがかみあう音がして
ギアが上がった。巻島《まきしま》の自転車のペダルが重くなる。

巻島……!!

金城《きんじょう》が目を見ひらいた。
東堂《とうどう》のさそいに、ついにのったのか!?

「巻島さん、加速《かそく》する気ですか？　ワイらをおいて、
箱根学園《はこねがくえん》の前髪《まえがみ》の人と勝負《しょうぶ》する気スか!?」
鳴子《なるこ》が心の声でさけんだ。
田所が歯《は》をかみしめた。

東堂は満面《まんめん》のえみだ。
「待《ま》たせやがって!!　やっとその気になったか。巻《まき》ちゃん、巻ちゃん、巻ちゃん!!」

「勝負だ、山頂《さんちょう》のリザルトラインまでショオッ」

「最強《さいきょう》クライマーを決める勝負だ!!!」

二人は山頂めがけて、ふみ出した!!

『頂上の蜘蛛男《ピークスパイダー》』と『眠れる森の美形《スリーピングビューティー》』、二台が同時に加速。

巻島が最初《さいしょ》のふみこみで前に出る。マシンは地べたにつきそうなほどにたおされている。

独特《どくとく》の美しいフォームだ。

しかし、すぐに巻島はぼすっとしりをサドルに落とし、こぐのをやめてすわってしまった。

「ふみとどまった……

巻島さん……!!」

うしろから見ていた、鳴子《なるこ》が息《いき》をのんだ。

「あんだけあおられて、三年最後《さいご》のたたかいや、とまで言われて、ワイらのためにふみとどまった……!!」

鳴子はペダルを少しふみこんで、巻島《まきしま》にならぶと、

「すんません。巻島さん!! ワイ、さっきなまいきなこと言うて。ほんまは巻島さんがいちばんがまんして……チームのために」

と、それだけをいそいで言った。

「クハ、オイオイ、かんちがいすんなヨ。今のはストレッチさ」

と巻島は言った。奥歯《おくば》をかみしめて、すべてをセーブした巻島のあごのあたりを、ツーっとあせがつたっていった。

「それよか隊列《たいれつ》をみだすな。ムダ足を使うんじゃないっショ。自分の場所をじっと走れ」

「は……はいス」

鳴子はもとの位置《いち》にもどった。

「すまない巻島!!」

金城《きんじょう》は心の中で言った。

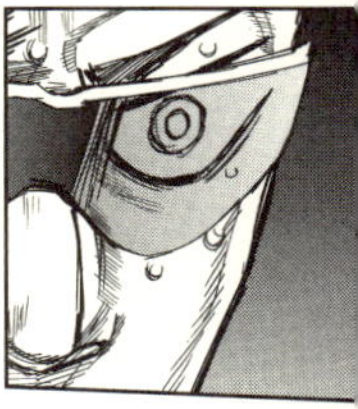

「巻《まき》ちゃあん!!」
東堂《とうどう》は、やっと自分と勝負《しょうぶ》してくれるとよろこんだのに、巻島はさそいにのってこなかった。
東堂はたまらず声をあげた。

もう一人のクライマー

「東堂ぉ!! なにやってんだ!!!」
箱根学園《はこねがくえん》の荒北《あらきた》がたまらずしかった。
「東堂ぉ、早く行け。いつまでもつまんねーことに引っかかってモタモタやってんじゃねーよ。めんどうくさいヤツだな、バカ。おめェの

役割《やくわり》は山頂《さんちょう》リザルトだ。箱根学園《はこねがくえん》のプライドはおめーにかかってんだよ。もう行かないと時間がねぇってんだ。最初《さいしょ》にとび出した、よそのクライマーはもうずいぶん先だ。ここで出ねェとおさえきれねェ」

荒北《あらきた》は、東堂《とうどう》をうしろから追いかけながらまくし立てた。

「もう一回言う！　おめェの役割は、この地元《じもと》箱根の山岳《さんがく》を、かくじつにとることだ‼」

荒北は東堂の真横《まよこ》にピタリと並走《へいそう》した。するとと声をひそめて東堂の耳元《みみもと》でこうささやいた。

「ったく気づかねえのか、バァカ。頭に血《ち》ィのぼってんじゃねーよ。総北《そうほく》の巻島《まきしま》は出ないんじゃない。出られないんだ。今年の総北にはクライマーが一人しかいないのさ」

それを聞いた東堂は顔をこわばらせ、だまってスリーピングクライムを発動《はつどう》させた。

音もなくスゥと加速《かそく》し、大平台《おおひらだい》のヘアピンカーブで一気にアタックを開始《かいし》。

またたくまに、総北も箱根学園もおきざりにして行ってしまった。

巻島は無言《むごん》だ。
うつむいたままで自分のペダルをふんだ。
東堂は総北にクライマーが一人しかいないことに気がつかず、巻島をさそった自分をはじているが、納得《なっとく》できないでいた。

「バカヤロウ……クライマーが一人じゃ、勝てるわけねェじゃねェか……。巻《まき》ちゃん、これじゃ、勝負《しょうぶ》できるわけねェじゃねェか……総北、ちゃんとクライマーを準備《じゅんび》しとけよ、バカヤロウ!!

くそおぉぉお」

ぶつけようのない、いかりをおぼえて、東堂はほえた。

どんどんと差《さ》を広げていく東堂になすすべがない総北に、

「かしこい選択《せんたく》だったなァ、今、あきらめたのは。なァ総北ゥ!!」

と荒北《あらきた》が声をかけてきた。

チッ、荒北め。

田所が横目《よこめ》でにらんだ。

「だってさ、チーム唯一《ゆいいつ》のクライマーがとび出しちゃ、チームがバラバラになっちまう」

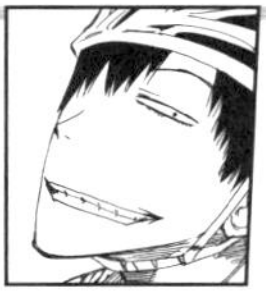

いやみたっぷりな言葉で挑発《ちょうはつ》してきた。

「冷静《れいせい》な判断《はんだん》だったぜ。おかげで、山岳《さんがく》リザルトはうちがいただくけどな」

と荒北が言ったとき、「三分ショ……」と話にわって入る声が聞こえた。その声はうつむいたままペダルをふむ巻島《まきしま》だ。

同じペースでペダルを回しながら、「三分までは……はなされても……追いつくっショ」と小さな声で言っている。

荒北の表情《ひょうじょう》にはてなマークがうかんだ。

田所は、まさか、と思った。

「三分？　なに？」

と荒北はわけがわからず顔をしかめた。

「三分のうちに、この状況《じょうきょう》でも変わるのか」

巻島がようやくニヤッとわらった。

「あきらめてないのか、こいつ」と荒北はふしぎに思った。

「オレは東堂《とうどう》と勝負《しょうぶ》できりゃあ、山岳リザルトはどうでもいい。三分以内《いない》なら、まだ追いつく……」
と巻島は言った。
「追いつく⁉　チームはどうする⁉　つかれきったスプリンター《田所・鳴子》をつれては登れないぜ。もうバレてんだ。今、おまえのチームにクライマーは一人しかいない‼」
荒北が勝ちほこったように言った。

「来るのさ、総北《そうほく》の二人目のクライマーがな」

そう言うと、巻島《まきしま》は指《ゆび》で「二」をしめした。


小野田!!

今泉《いまいずみ》も鳴子《なるこ》も、田所もまさか、と思った。

巻島は、一人冷静《れいせい》にレース展開《てんかい》をよんでいたのだ。


「来る? 総北がもう一人!?

オイオイ、来ねェよ。なに言ってんだ!?

リザルトボードで、もう一人は最下位《さいかい》だったぞ!! 来るわけねーだろ」

と荒北《あらきた》がおどろいた。

「いや……今、すんげー回転数《かいてんすう》でペダル回して、こっちに向かってるよ」

と巻島が言うと、「オイオイ、バカかよ。なんでそんなことが言えんだよ」と荒北があきれた。

「あいつは、役割《やくわり》ははたすつった……。小野田坂道つう男はさ……、
そういうのきっちり守る男なんだわ」
巻島はそう言いきった。

それを聞いて鳴子は気がついた。
巻島さんは、全然《ぜんぜん》あきらめてへんのや……!! 小野田くんが来ると
しんじとるんや。カッカッカッ、しんじとらんかったのはワイのほう
やんけ、鳴子章吉《しょうきち》!! そや……!! 小野田くんはいつでも限界突破《げんかいとっぱ》し
てきとるやないか!!

今泉も思った。
「そうだ、あいつは追い上げるときが速《はや》いんだ!!」

金城《きんじょう》も心の中でつぶやいた。

「来い、小野田。おまえの役割《やくわり》は、まだここにある!!」

「いや、できねーぜ」
と荒北《あらきた》はわらった。
「理由《りゆう》は単純《たんじゅん》だ。オレたちのうしろには数十人の大きな集団《しゅうだん》がある。そいつがじゃまになってぬけないからだ。どんなにスゴイ登りのヤツでも、まっとうなヤツなら、そこで足止《あしど》めをくう。なぜなら、ここは箱根だ。道幅《みちはば》はせまいうえにうねってる!!　三分なんて絵空事《えそらごと》だ。追い上げるヤツにとって、〝あの集団〟は……巨大《きょだい》な関所《せきしょ》だ!!」

百人の関所《せきしょ》

ヒ……ハァ、ハァ、ハァ、ハァ、ハァ……メ

金城さんのところまでもう少しだ。

そこまで追いぬいて追いぬいて、快調《かいちょう》に順位《じゅんい》を上げてきた坂道が、ついにつっかえた。

荒北が「巨大な関所」とよんだ大集団が目の前に見えたのだ。道の左はしから右はしまで、選手のしりしか見えない。大渋滞《だいじゅうたい》している。

集……団だ……。

本格的《ほんかくてき》なレース初出走《はつしゅっそう》の坂道は、こんな景色《けしき》は初めて見た。一、二、三、四、五、六

……六人分。道幅《みちはば》は六人分しかない。びっしりとコンクリートのかべのようにうまっている。しかも、それが数メートル、いや、十数メートル先まで選手《せんしゅ》でうまっている……。

「人のかべ」のようだ。

ハァ、ハァ、ハァ、ハァ、ハァ、ハァ

これ、どうやってぬくんだ……今まではコースの道幅があったから、なんとかぬけたけど、右のガードレールのところも、左のみぞのほうも、ギリギリのところまで選手でいっぱいだ。
これじゃ、追いぬけない……!!
それに、ボクのペースも落ちている。こまった!
早くみんなのところに行かなきゃならないのに!!

ハァ、ハァ、ハァ、ハァ、ハァ、ハァ

坂道には、自分の呼吸《こきゅう》の音がとても大きく聞こえてきた。ヒメヒメの鼻歌《はなうた》はすっかりとまってしまった。

どうしよう……。

こんなとき、鳴子《なるこ》くんならどうするだろう。
今泉《いまいずみ》くんなら……。
坂道は今泉に「バカ、頭でゴチャゴチャ考えてんじゃねーよ」と言われたことを思い出した。

そうだ、見つけるんだ、行ける方法《ほうほう》を……！　考えるよりさがそう。
そして、そこをなんとか一点突破《とっぱ》するんだ。

どこかにあるはず。
どこかにあるはず。

部長《ぶちょう》さんが役割《やくわり》をくれた。
手嶋《てしま》さんが背中《せなか》をおしてくれた。
てっぺんを目指《めざ》すんだって巻島《まきしま》さんが言ってくれた。

どこかに、道があるはず!!
む!!!
坂道は道路《どうろ》の左はしにあるみぞを見た。

たぶん、ギリギリ道のはじっこまでコースだよな……。
あの幅《はば》なら、ロードレーサーのタイヤなら行けるんじゃないか……!?
坂道の目は、みぞのへりを見つめていた。

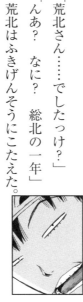

みんなのところへ！

総北《そうほく》と箱根学園《はこねがくえん》の先頭集団《せんとうしゅうだん》は道路の左側《がわ》と右側でならんで走っている。

ずっとだまっていた今泉《いまいずみ》が箱根学園の荒北《あらきた》に話しかけた。

「荒北さん……でしたっけ？」
「んあ？　なに？　総北の一年」
荒北はふきげんそうにこたえた。

「さっき、〝まっとうなヤツなら来れない〟って言いましたよね」

「ああ、言ったけど？」

「だったら――、来ますね、あいつは」

「ハァ？」

「あいつはね、オレは前から見ているからよくわかるんです。よくころぶし、要領《ようりょう》もわるいですけど、全力《ぜんりょく》なんです……あいつの走りは〝いつもまっとうじゃない〟んですよ」

それを聞いていた巻島《まきしま》がわらいをこらえながらニヤッとした。

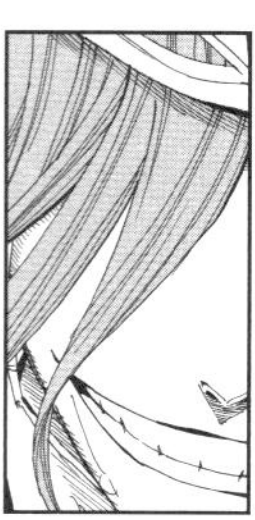

そのころ、坂道は……。

ドン！

坂道はアスファルトの道路《どうろ》の路面《ろめん》の左はしから、みぞに落ちて……。

「おい、なにやってんだ⁉」

「すべって落ちたのか。上がれ‼」

「だいじょうぶか、キミ‼」

関所《せきしょ》の最後尾《さいこうび》を走っていた城南大付属《じょうなんだいふぞく》の選手《せんしゅ》たちが心配して声をかけた。

「だいじょうぶです‼　だいじょうぶ‼　だいじょうぶ‼
行ける、行ける、行ける‼」

ズルッ、ズルッ、ズルッ、ズルッ、ズルッ

坂道はみぞに落ちたのではなかった。コンクリートでできた「U字溝《ユーじこう》」の〝へり〟の幅数《はばすう》センチのところを、つなわたりのように走っているのだ。ロードレーサーのタイヤ幅で走れないことはないが、左にずれるとみぞに落ちる。右にずれるとアスファルトの舗装《ほそう》のかべがある。どちらにずれても、こけてしまう。

「おいっ、ちがうぞ。あいつ、落ちたんじゃなくて、みぞのへりを走る気だ‼」

「なんだと!!」
城南大《じょうなんだい》付属《ふぞく》の選手《せんしゅ》がさけんだ。
坂道はへりを走るコツをつかんだ。
速度《そくど》を上げた。

うぁああああああああ!!
待《ま》っててください、巻島《まきしま》さん!!

あーーー!
ズルン
あッ
ガン、ぱっ、シュッ
「オイ、今、あいつ落ちたぞ!」
「落ちたけど、足でけってささえて、もどったぞ!」

行くんだ、
行くんだ!!!
絶対《ぜったい》にだ!!

坂道は前しか見ていなかった。細い〝へり〟を走り続《つづ》けた。速度《そくど》が上がる。

とっさにひらめいた〝つなわたり走法《そうほう》〟で集団《しゅうだん》のかたまりを追いぬいて行く。


「ウソだろ?」

「なにやってんだ、こいつ」

いろんな声がとんできた。

でも、そんな声は聞こえない。

坂道はこぎ続けた。集団のペースより明らかに速《はや》い。

この集団をぬけば、百人ぬき突破《とっぱ》……だ!!

光が見えた!!　これでチームに追いつくぞ!!!

集団《しゅうだん》の先頭《せんとう》だ‼　これでチームに追いつく‼

百人目ッ!!!

いきおいをつけて、坂道はみぞのへりから道路《どうろ》の上に、ひょいとマシンをもどした。

御堂筋《みどうすじ》との攻防《こうぼう》

関所《せきしょ》＝選手《せんしゅ》の集団をぬけ出た……と思った瞬間《しゅんかん》に、大きなかげが坂道におおいかぶさった。

ぬおーっ

「あれあれあれ、どっから出てきたのぉ」

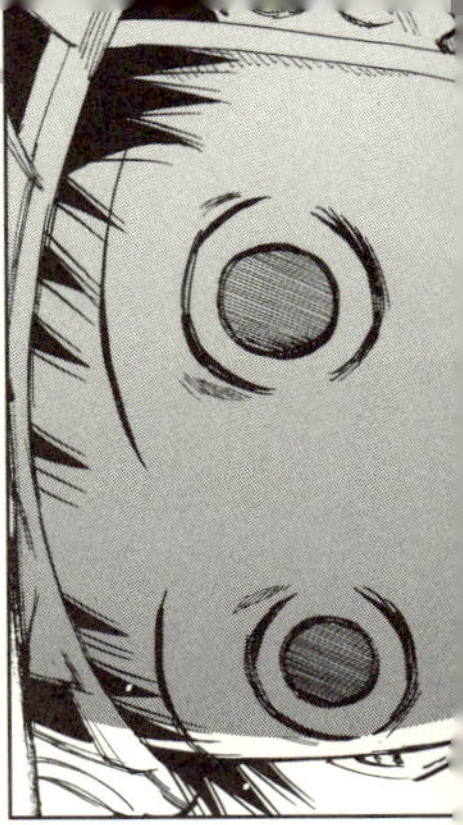

そのかげは言った。

体がでかい。身長がでかい。

ん、聞きおぼえのある声だ。

これは……み、御堂筋《みどうすじ》……くん。京都伏見《きょうとふしみ》!!

で……でっかい。レース前にステージで見たときより、実際《じっさい》はもっと体がでっかい。

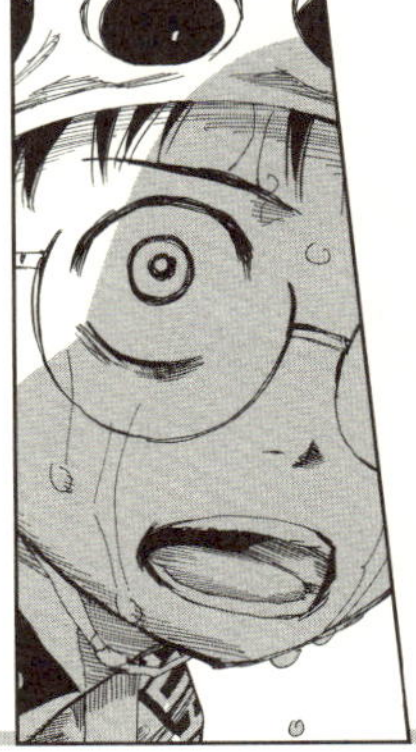

「あんなぁ」

御堂筋は、やわらかい関西弁《かんさいべん》で坂道に話しかけた。

「今、この集団はうちのザクがコントロールしとるんよ。わるいけど、勝手《かって》にとび出されたらこまるねんけど」

にょろ～っとした、ぶきみな話しかただ。坂道は調子《ちょうし》がくるいそうになった。

「それでも、ボクをぬく？」

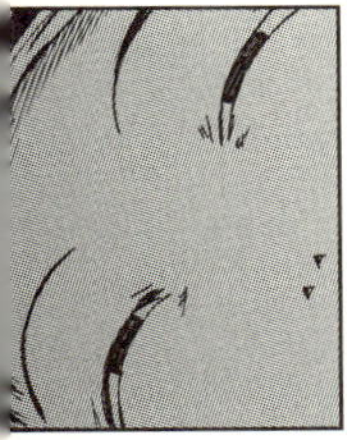

この人が……百人目!?

「ぬきます!!」

まなじりを決《けっ》して、強い声で坂道は言い返した。

だって、みんなのために、ぬかないと。

百人目が御堂筋《みどうすじ》くんとは!!

異様《いよう》なプレッシャーをかけてくるし、体もボクより全然《ぜんぜん》、大きいし、強そうだ。

でも、御堂筋くんをぬくんだ。

そう心に決めると、坂道はスパートした。

ぐるぐるぐるぐるぐるぐるぐるぐるぐるぐるぐるぐる

ああああああああああああああああああ

「キモっ」

開会式《かいかいしき》で、今泉《いまいずみ》をコテンパンにバカにしたのと同じように、御堂筋は坂道にそう言った。

それをきっかけに、坂道の突破《とっぱ》をおさえるために御堂筋もスパートした。

「キモ」

御堂筋のスパートは異様だった。

ずっと、キモキモと言っている。

カチカチカチカチカチカチカチ

キモキモと言うたびに歯《は》がカチカチとなって、音を立てる。それでいて、スピードはどんどんと上がっていく。おまけに坂道を見て、こんなことを言いはなった。

「キミのその目、キモイキモイ思たら、キモイはずや。弱泉《よわいずみ》くんとこのジャージじゃないか‼　キモォ‼」

坂道はぴったりとならばれたまま、前に出られない。背筋《せすじ》がゾクゾクっとした。

まわりの選手《せんしゅ》が二人の走りにおどろいている。

「すげえ加速《かそく》‼」

「この登りでまだ、加速できるのかよ」

「なんだ、あの二人‼」

「あのイエロージャージ……、御堂筋《みどうすじ》の加速についていってる……何者《なにもの》だ……‼」

どういうことだ。となりを走っているのに風圧《ふうあつ》をかんじる！

坂道は必死《ひっし》でペダルを回しているのだが、ビリビリと御堂筋からの圧力《あつりょく》をかんじていた。

「キミ、必死やねェ、つらそうやね。弱泉くんとこに行こうとしとるの？」

京都伏見《きょうとふしみ》のエースは余裕《よゆう》しゃくしゃくで坂道に言う。まるで大人が子どもに話しかけるようなたいどだった。

坂道が返事をする前に、

「キーーーモーーーーーーー!!」

と言った。

「泣《な》かせるやないの。ボク、なみだはキライやけどね。けどーーおまえいちばん必死やから。その必死さにめんじて、ええもんを見せたげるよ。一回だけやよ、ボク。ホンマはもっと……」

そう言うと、御堂筋《みどうすじ》の体がにゅるっとのびた。
いや、本当にのびたわけじゃない。のびたように見えただけだ。
手足も胴体《どうたい》も長い。顔もでかい。体のサイズが大きいのに、
小さめのバイクに乗っているから、そんなふうに見える。
まるでへびが脱皮《だっぴ》する動きのようにズルっと上半身《じょうはんしん》を
のばすと、二つおりにするように、ハンドルバーの前に、
にゅるっと乗り出した。
「ホンマはもっと……速《はや》いんやよ」
そう言ってカチンと歯《は》をならすやいなや、前輪《ぜんりん》より前に胸《むね》を出した。頭からつんのめっ
て、地面《じめん》にささりそうなほど前にだ。

イーーーッヤァアアアアアアーーーーーーー!!

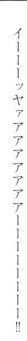

耳にしたことがないような奇声《きせい》をあげると、異様《いよう》なまでに前傾《ぜんけい》したダンシングをくり出した。

顔《かお》が地面に着きそうだ!!!

坂道はびっくりした。こんなフォームは見たことがなかった。重心《じゅうしん》が前にのっているのか速い。上り坂にもかかわらず、またしても速度《そくど》はもう一段《いちだん》上がった。

必死《ひっし》でついていこうとする坂道の走りを分析《ぶんせき》した。

「息《いき》、あがっとる。回転《かいてん》もこの登坂《とはん》にしてはよく回っとる。百十回転や。けどもう限界《げんかい》や。
おまえにはムリやよ。なぜなら、おまえがザコやからやよ」

ザ……コ……

ザコと言うときの御堂筋《みどうすじ》はとても幸せそうな顔《かお》をしていた。

「雑兵《ぞうひょう》には、集団《しゅうだん》がおにあいやぁぁあああ」

ハァ、ハァ、ハァ、ハァ、ハァ

坂道は引きはなされた。走りでも、存在感《そんざいかん》でも、圧倒《あっとう》されてしまった。とにかく、びっくりした。森の中でへんな巨大《きょだい》な生き物に出くわしたかのようなショックをうけていた。

「ゆれるな。行くんだ。心がゆれちゃだめだ」

坂道はやられそうになった。しかし、

「みんなが待《ま》っているんだ」

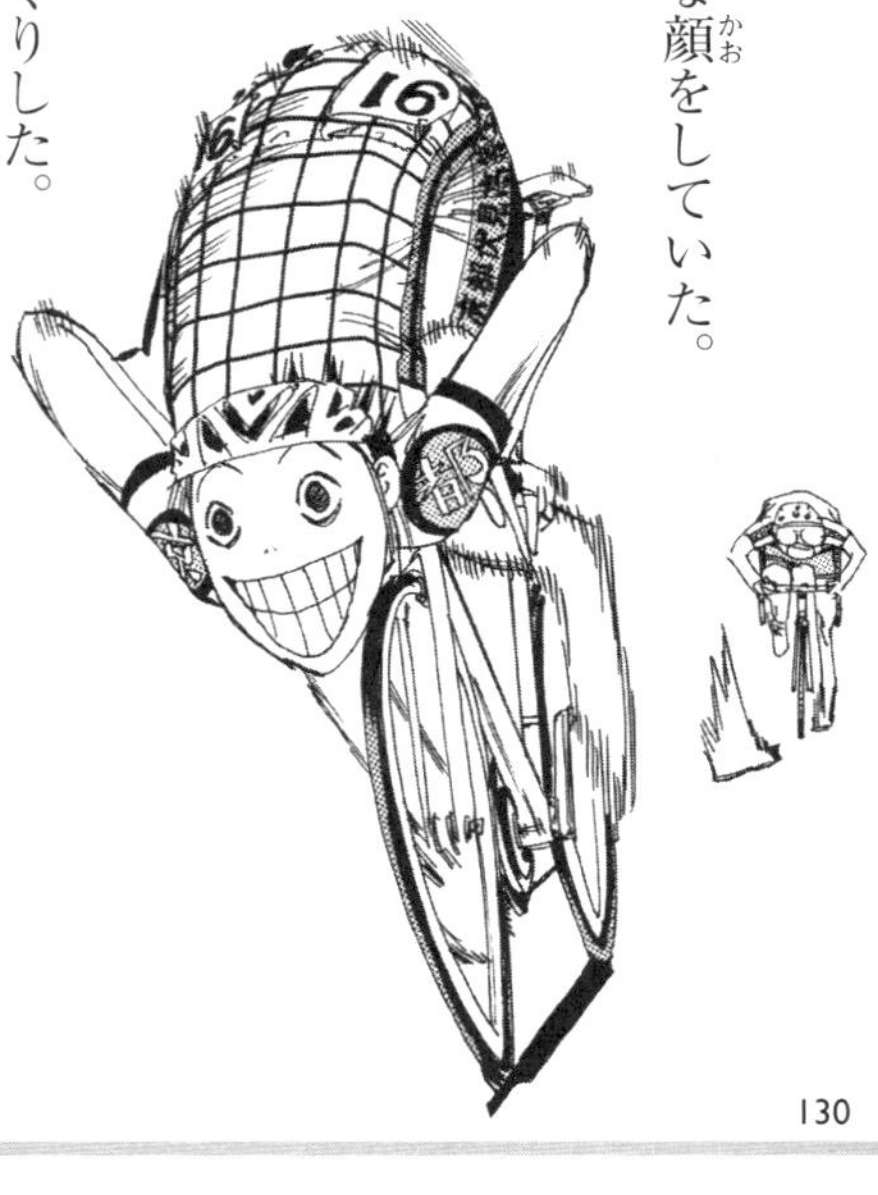

金城《きんじょう》の、田所の、巻島《まきしま》の、今泉《いまいずみ》の、鳴子《なるこ》の顔《かお》を思い出した。
坂道の元気《げんき》と勇気《ゆうき》のもとは仲間《なかま》の存在《そんざい》だった。

回せ……‼

ギヤアン
坂道はペダルをふみこんだ。
もう三十回転《かいてん》‼　まだ上がる‼　みんなに追いつくんだ。

うああああああああああああああああ
そのためにここにいるんだ‼
ひゃーーくにんーーーめーーーーーーーー!!!
坂道は、御堂筋《みどうすじ》をこえる回転数《ケイデンス》をくり出した。
ガァァァァァァァァアアアア
坂道のマシンはすっとんでいった。

「ひゃー、おはーー、めっちゃ回すなあ。どんだけ回してんや。キモッ、キモッ、キモイわ……」
御堂筋はわらいながら、もう一度「キモッ」と言った。ぬかれたあとで真顔《まがお》になり「あいつは、量産型《りょうさんがた》やないなァ……」とつぶやいた。

想《おも》い、とどく

ハァ、ハァ、ハァ、ハァ、ハァ、ハァ、ハァ、ハァ、

坂道は百人ぬきの最大《さいだい》の難関《なんかん》を、つなわたりのアイデアと強い心で突破《とっぱ》した。

もう、じゃまをする者はない。あとは、前にいるみんなに追いつくだけだ。

みなさん、すいません。落車《らくしゃ》したばっかりに。

めいわくをかけました。

手嶋《てしま》さん、青八木《あおやぎ》さん、サポートしてくれて、ありがとうございました。

まだまにあいますか。ボクの役割《やくわり》……もしまにあうのだったら……ボクは

この足がちぎれるまで、ペダルを回し続《つづ》けます!!

坂道はもうなにも考えずにペダルをふんだ。

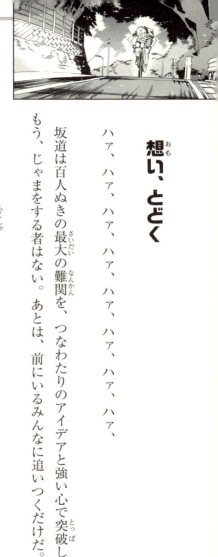

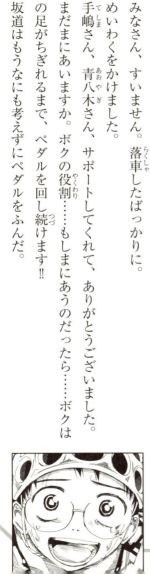

一方、巻島《まきしま》たち……。

待《ま》ってたぜ、キッカリ、三分だ。

巻島は、坂道のクライマー魂《だましい》をかんじとっていた。見えなくても坂道が近づいていることがわかっていた。

その巻島の気配《けはい》をかんじた鳴子《なるこ》がつられて、ふとふり返った。

「来た……、来よった……‼」

やがて、坂を懸命《けんめい》に上がってくる坂道の気配《けはい》は、総北全員《そうほくぜんいん》につたわった。

「あいつ……」

今泉《いまいずみ》がわらった。

坂道のすがたがもっと近づいてきた。

「オイオイ、たいした初心者《しょしんしゃ》だぜ‼」
田所が感心《かんしん》した。
金城《きんじょう》はなにも言わない。が、その表情《ひょうじょう》は「待《ま》ってたぞ」とでも言いたそうだ。

「小野田‼」

チーム総北はみんなで心の声をあげた。

はぁ、はぁと息《いき》をはずませながら、坂道が笑顔《えがお》でさけんだ。

「すいません、みなさん、今、追いつきました‼」

チーム五人がふり返った。

本当に追いついてきやがった‼

坂道が無事《ぶじ》合流《ごうりゅう》したことをかくにんして、巻島《まきしま》はサドルから腰《こし》をうかせた。そして、パチパチっと変速《へんそく》レバーの音をさせると、一気に急加速《きゅうかそく》をした。

集団《しゅうだん》からはなれて、スパートをかける。

坂道が追いつくまで、レース全体《ぜんたい》のペースをコントロールして走った。速度《そくど》もゆるめていたが、もうだいじょうぶだ。

ここからは自分のレースで行くぞ、と言わんばかりにとび出した。

「ジャスト三分、よく来た坂道ぃ‼　ッショオオオッ」

とさけぶと、白いマシンは水をえた魚のようにときはなたれた。

「くそっ、巻島を行かせた！」

巻島のすがたは集団からどんどんはなれていく。

その小さくなるすがたを箱根学園《はこねがくえん》の荒北《あらきた》がくやしそうに見つめている。


ここで巻島を行かせちゃダメだ。

うちの真波《まなみ》に巻島を追わせたい……いや、そうしたら、こっちがクライマーをうしなうことになる。ダメだ。チィッ‼


荒北は予想外《よそうがい》に坂道が追いついてきたことで動揺《どうよう》していた。箱根学園の作戦《さくせん》はどうなるのか……。


「くそ、あのメガネ、どうやって集団をぬけてきたんだ、最後尾《さいこうび》から！

なにをした？　何者《なにもの》だ、おまえは！」

坂道は、小田原市街地《おだわらしがいち》のクランクで落車《らくしゃ》してから、ようやく、メンバーのもとへともどってきた。

「小野田くん!!」

「小野田!!」

鳴子《なるこ》が、坂道の背中《せなか》をばしん、ばしんとたたき、田所がヘルメットをぐりぐりとおさえて、よろこびを表した。

「アホや、ホンマ、アホやで小野田くん」

「す、すいませんでした、ころんで……あっ、落車してしまって、あの、おそくなって……」

「よくやったぜ、ガハハハ」

今泉《いまいずみ》はそれを少しはなれて見ながら、「また、ムチャな走りかたをしてきたんだろうな……」と思った。

坂道がみんなのかんげいをうけていると、背中《せなか》にだれかの手がバシッとおかれた。ぬくもりをかんじた。金城《きんじょう》の手だった。金城だけがうかれていない。

坂道に語りかけた。

「今、巻島《まきしま》が出た。小野田、すぐに引けるか」

「はいっ」

坂道は力強く返事をした。

「そのために来ました‼」

「よし」

百人をぬきながら坂をかけ上がってきた坂道は、休むまもなく、総北《そうほく》の先《せん》頭《とう》に出た。クライマーとして、今泉、金城、鳴子、田所の四人を引き始めた。

そのすがたを、横から箱根学園《はこねがくえん》が見つめている。

「あれが、最下位《さいかい》から登ってきたクライマーか」と福富《ふくとみ》がにらんでいる。

「細っせえからだ」と荒北《あらきた》がおどろいてる。

「小柄《こがら》な男だ……あの体のどこにそんな力が……」と泉田《いずみだ》が観察《かんさつ》する。

「来たね!!　スゴイよ!!　坂道くん!!」と真波《まなみ》がすんだまなざしで見つめる。


坂道はどうどうとチーム総北《そうほく》を引き始めた。

「ジャージもボロボロじゃねーかよ」と今泉《いまいずみ》はうしろから、きずだらけの坂道をねぎらった。


そのうしろすがたを見ながら、金城《きんじょう》がつぶやいた。

「巻島《まきしま》よ、おまえが見こんだクライマーはよく働《はたら》く!!」

第三章

山岳《さんがく》リザルト

巻島《まきしま》の期待《きたい》

坂道がみんなに合流《ごうりゅう》したあと、巻島《まきしま》は単独《たんどく》スパートし、得意技《とくいわざ》のスパイダークライムをくり出していた。ロードレーサーを右に左にたおれそうなくらいに、くねくねと反動《はんどう》をつけながら、絶妙《ぜつみょう》なバランス感覚《かんかく》で坂を登っていく、その独特《どくとく》なフォームで前を走る一台を一瞬《いっしゅん》でぬきさっていく。

「待《ま》ってろ、東堂《とうどう》ぉ‼　すぐに追いついてやる‼」

上り坂だというのに、総北《そうほく》のエースクライマーは軽快《けいかい》にスピードを上げていった。

あきらめていない。

箱根学園《はこねがくえん》の東堂を追う。

小野田よ、知っているか。

巻島はこぎながら、この四月のことを思い出していた。

オレが個人練習《こじんれんしゅう》でうら門坂《もんざか》をおまえといっしょに登ったとき、どんなところへも、くいついてきたおまえに、ひそかに心おどらせたことを——。

巻島は四月に新入部員《しんにゅうぶいん》が入ってきたとき、金城《きんじょう》とともに入部届《にゅうぶとどけ》をながめながら、「今年の一年にクライマーはいねェな!!」と頭をかいていた。自分と同じポジションの後輩《こうはい》がいたら、目をかけ、いろいろと教えることができると思っていたのだ。しかし、ピンとくる新人は、そのとき、いなかった。

金城《きんじょう》が「今泉《いまいずみ》は実戦《じっせん》ですぐ使える。どうだ?」と言ってもとりあわない。

「まかせとけヨ、インターハイの登りはオレが引っぱってやるからヨ!」と、巻島は言った。

総北恒例《そうほくこうれい》の一年生レースが行われたときも、中学生時代からすでに有名《ゆうめい》ライダーだった、今泉《いまいずみ》と鳴子《なるこ》の一騎打《いっきう》ちになるだろうとたかをくくって見ていた。

しかし、上り坂で今泉を追いつめて、ぬいた小野田坂道の走りを見たとき、巻島《まきしま》は坂道に期待《きたい》した。

「たんなる初心者《しょしんしゃ》だと思っていた、おまえの走りを見て、オレは期待しちまった」と。

そして、そのあと、個人練習《こじんれんしゅう》でいっしょに走ったときに、その期待が確信《かくしん》に変わったのだ。

だから、巻島は金城《きんじょう》にうったえた。

「オイ、金城、あいつ!!　あの初心者!!　きたえれば登るぞ。センスあるぞ。あいつは――クライマーだ!!」

そんな巻島の想《おも》いを坂道は知るわけがなかった。

「クハ、知るわけねーーか、言ってねェからな‼　口がさけても言わねーけどな‼」

ただ、巻島には一つだけ、金城の口から坂道につたえてほしいことがあった。

「小野田、巻島から伝言だ」と、金城は声をかけた。

チーム総北を先頭《せんとう》で引く坂道に、金城がうしろから声をかけた。

「え、なんですか」

「〝ありがとう〟」

坂道がふり向くと、金城がそう言った。

「おまえがクライマーであり、かつ、落車《らくしゃ》というトラブルをのりこえ、ここまで来てくれたことにたいする、巻島《まきしま》の感謝《かんしゃ》の言葉だ」

「……は、はい!!」

坂道は大きな声で返事をした。

こうして巻島の想《おも》いは、今、金城の口からたしかに坂道にとどけられた。

箱根学園応援団《はこねがくえんおうえんだん》

山に入ってレース全体《ぜんたい》の先頭《せんとう》を切るのは、箱根学園《はこねがくえん》の東堂《とうどう》。それを追って、長野中央工《ながのちゅうおうこう》業《ぎょう》の館林《たてばやし》。山形《やまがた》、奈良《なら》の二台。そして、おくれてスパートした総北《そうほく》の巻島が第二リザルトのトップ通過《つうか》をねらっている。

山頂《さんちょう》に近づくにつれ、沿道《えんどう》に観客《かんきゃく》がふえてきた。

「ハ――――コ――――　ハッコガク‼　おおおおお
ハッコガク‼　ドドドン　ドドン
ハッコガク‼　ドドドン　ドドン
ハッコガク‼　ドドドン　ドドン」

ひときわ目立っているのは、箱根学園の応援団《おうえんだん》だ。巨大《きょだい》な応援旗《おうえんき》をふり、ぶっといばちで大だいこをたたいている。真夏《まなつ》だというのに黒の学生服《がくせいふく》をびっちりと着こなした団員《だんいん》が、腹《はら》の底《そこ》から声を出して、声援《せいえん》を送っていた。

「東堂が登ってくる前から、箱根学園の応援団はもり上がってるな」
「今年は地元開催《じもとかいさい》だからな。箱根学園を応援する人がきは山頂まで続《つづ》いているらしいぜ」

「マジかよ」

と、見物客が話している。

レースの沿道《えんどう》見物は一瞬《いっしゅん》だ。お目あての選手《せんしゅ》は、目の前を一瞬で通りすぎる。そして、沿道のざわめきは波《なみ》のように、自転車と同じ速度《そくど》で下からかけ上がってくる。

箱根学園《はこねがくえん》の新入部員《しんにゅうぶいん》たちもそろいのTシャツで応援《おうえん》の準備《じゅんび》をして、東堂《とうどう》のトップ通過《つうか》を待《ま》っている。

「さっき、下の笛野塚《ふえのづか》のところから電話があって、いいペースで登ってきてるってさ」

「トップか？」

「もちろん!!」

「……すごい…ですね。あの…東堂さんが、インターハイでトップですか!?」

ちょっと信じられないといった様子だ。

「おまえら一年は、いつものかるい東堂しか見てねえからな」

と、補欠部員《ほけつぶいん》の藤原《ふじわら》が教えた。

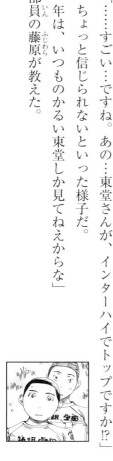

「東堂といっしょに走ったら圧倒《あっとう》されるぜ。一年のときからあいつの登りはべっかくだった。重力《じゅうりょく》がねぇみたいに登るんだ。
そんで、いつもわらいながら指《ゆび》をさすんだ。『藤原、おめえはペースの使いかたがヘタだ』って。ムカつくくらいヨユーありすぎなんだよな、アイツ……」
もう一人の部員、小堰《こせき》も「東堂が自分で言ってるけどな、マジでそうだよ……登るときのあいつは〝山神《やまがみ》〟さ」

「来たぞー!!」

坂の下から歓声《かんせい》が聞こえてきた。

藤原は一年生にハッパをかけた。

「さぁ一年、力のかぎり応援しろ!!　そしてよく見ておけ。全国トップのはでな山神の走りを!!」

「東堂さん、ファイトです!!」

「とーーーーおどぉ!!」

「東堂《とうどう》ぉーーー!!　神奈川《かながわ》!!」

「ハーーーーコガク!!!」

大歓声《だいかんせい》の中を、白のユニフォームが上がってきた。

シャ──シャ──シャ──


ハァ、ハァ、と息《いき》はあらくなってはいるものの、一定《いってい》ペースで力強くペダルをふみこんでいる。太ももが躍動《やくどう》している。

箱根学園《はこねがくえん》の一年の目の前を東堂が通りすぎる。

「東堂さん、ファイトです!!」

「東堂さん、ファイ……」

「ど、どうした東堂。おい、だいじょうぶか!?」

応援《おうえん》の声がくもってきた。

ハァ、ハァ、ハァ、ハァ、ハァ、ハァ、ハァ

東堂はなんだか苦しそうだ。目を半分つぶっている。

「藤原《ふじわら》……、小堰《こせき》……心配いらんよ。山頂《さんちょう》は……オレがとる」

と、言いはなつと、東堂はすぎ去って行った。

「あんな東堂、初めて見た……」と藤原は不安そうだ。

「どう……したんだ、調《ちょう》子《し》がわるいのか。いや……でもペースがわるいわけではない」

東堂は女子生徒がすずなりになっているゾーンにさしかかった。

「きゃ♡　来たわよ、東堂くーーーん!!!」

「一位よ、一位!!」

「すごーい、東堂さーーーーん」

女子生徒《じょしせいと》の黄色い歓声《かんせい》がコーラスのようにひびく。

「いつもの指《ゆび》をさすやつ、やってーーーー‼」

ハァ、ハァ、ハァ、ハァ、ハァ、ハァ

東堂《とうどう》にはよゆうがない。その東堂のあまりにしんけんな横顔《よこがお》を見て、女子たちはだまってしまった。いつもなら、あいそうをふりまいて、アイドルさながらにキラキラと目立ちながら走るすがたが、今日はない。

トップを走る東堂に、なにか異変《いへん》が起こっているのだろうか。

「さすが、神奈川《かながわ》の雄《ゆう》‼　ゴールまであと二キロちょっとだぞ。がんばれーー」

「東堂ぉーーかくじつにとれるぞ、山岳《さんがく》」

と沿道《えんどう》から声がかかった。

でも、なんだか東堂がおかしい……。

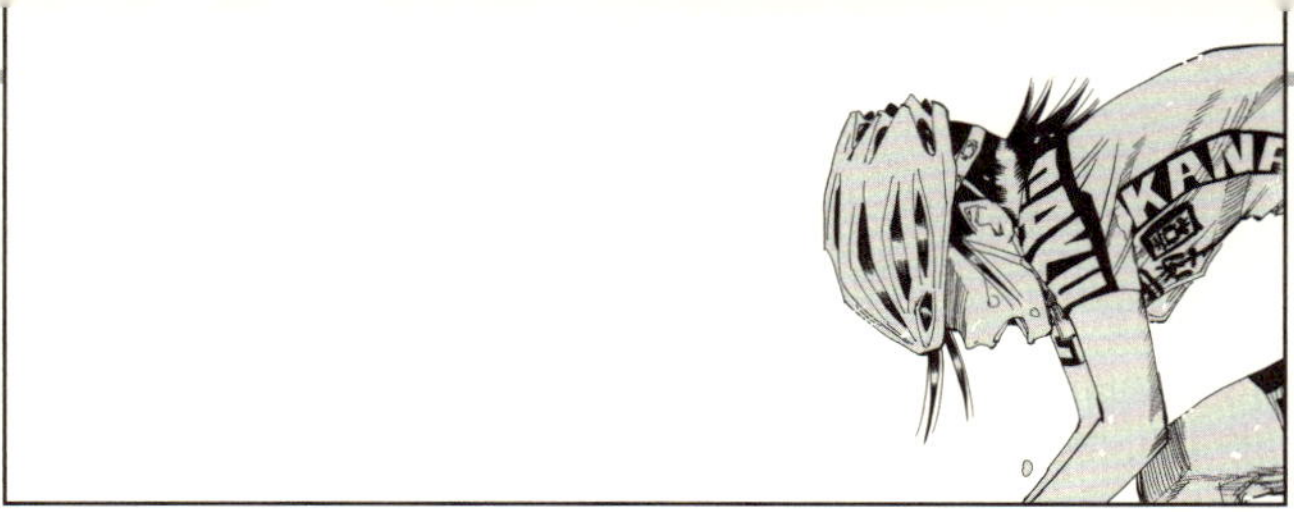

巻島《まきしま》とのやくそく

なんかおかしいな。

東堂は苦しんでいた。どうしてこんなに苦しいのか自分でもわからないから、なおさらつらい。

ハァ、ハァ、ハァ、ハァ、ハァ、ハァ

ようはリザルトだ。山頂《さんちょう》をとれりゃあいいんだ。トップで走りゃあいい。この箱根《はこね》の山で、地元《じもと》の箱根学園《がくえん》が、このジャージを着たヤツが「山岳リザルト」をとりゃいい……。それがオレの役割《やくわり》だ。

でも初めてだ——。

こんだけ観客《かんきゃく》がいて……トップを独走《どくそう》していて……、勝手知《かってし》ったる地元《じもと》のレースで……、早くおわっちまえ、なんて思うのは………。

東堂《とうどう》のペースが少しずつ落ちてきた。足はふんでいる。ペダルは回っている。しかし、地面に力がつたわらない。集中していない。世界がスローモーションになってしまったようだ。

沿道《えんどう》がざわめいた。だれかが、「一人、うしろから追い上げてるぞ！」とさけんだからだ。

その声を聞いて、東堂はハッとふり返った。

一台のマシンが熱《ねっ》された道路《どうろ》にかげろうのようにうかんでいた。

「ハッハッハ　おどろいているか‼　もっともだ‼　一度はおさえられたが、足をためて、おまえがバテるのをねらっていたんだ‼」

東堂は頭をかかえた。

そして、一カ月前のことを思い出した。

巻島《まきしま》はこのインターハイの前に、東堂と初めてやくそくをしたのだ。インターハイで「勝負《しょうぶ》する」と。

本番が近くなると、東堂は巻島に何度も電話をかけた。

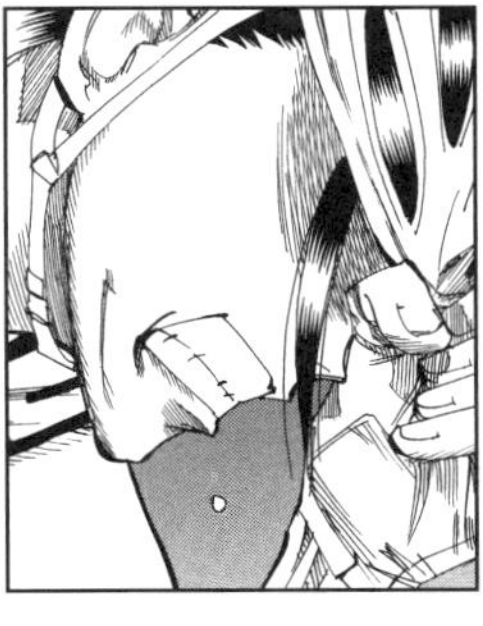

「インターハイ前に、けがとか病気《びょうき》してないかい？　おまえとはグッドコンディションでやりたいからな。心配で電話をかけた」

「……今週に入って三回目ショ」

「湯上《ゆあが》りに髪《かみ》はかわかしているか？　あたたかくしてねろよ。エアコンは切れ。ミネラルもとれよ」

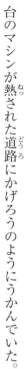

「おまえは母親か!!!」
「すまんね!! 楽しみすぎてね!!」
「クハ、いいぜ、調子《ちょうし》は。今までになく……な」
「オレもだ、巻《まき》ちゃん。そしておまえ以上《いじょう》にだ!!」

そんなことがあったから、期待《きたい》をもってふり向いたのにちがった。

〝あの男〟じゃなかった――。

早合点《はやがてん》だった。

うしろから来た、その選手《せんしゅ》はさけんだ。

「〝鉄壁《てっぺき》の館《たて》〟!! 長野中央工業《ながのちゅうおうこうぎょう》の館林元成《たてばやしもとなり》!! 山岳王《さんがくおう》はオレがとる!!」

バカヤロウ、なに期待していたんだ、尽八《じんぱち》!!
すてろ、期待は。あいつは来ねェ。

すてろーーー!!

東堂《とうどう》は自分に言い聞かせた。

すてろォォォーーー!!

そうさけぶと、目がさめたように加速《かそく》した。

「出たーー、東堂のスリーピングクライム!!

すげえ、マジで音がねェ。速《はえ》ぇぇ!!」

沿道《えんどう》の観客《かんきゃく》が声を上げた。

ゆずんねぇよ、このポジションだけは。

オレが……オレが山頂《さんちょう》をとるんだ。そのためにオレはほかのものを全部《ぜんぶ》すてたんだ!!

東堂《とうどう》はスイッチが入ったように、シャープな走りになっていった。

「あと二キロォォ!!」

東堂がスパートすると、「長野《ながの》のうしろにもう一台来たぞ!!」という声が聞こえた。

ハッ!! 一人も二人も変わらねえ。どんなヤツもオレの前は走らせんよ!!

「オイ、見ろよ、フラフラだぞ、あいつ」
「本当だ、もう限界《げんかい》だな」
「ダンシング……フラフラして……左右に大きくふれているぞ」
そんな声が東堂の耳に入ってきた。

なんだと!?

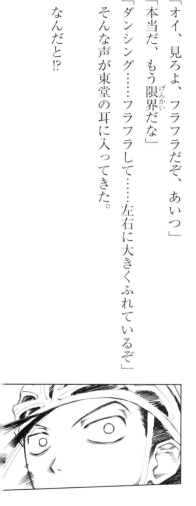

東堂の心がゆらいだ。

オレの知っているアイツは、車体を左右によくゆらす……。

でも、とちゅうにおいてきた。アイツはチームのために残ったんだ。

絶対《ぜったい》に来ない!!

「なんだ、あのアタマの色、すげー色。タマ虫色だな」

それを聞いて、東堂のペダルが止まった。

そのせいで東堂の横を「うおおおおお」とさけびながら、長野中央工業《ちゅうおうこうぎょう》の館林《たてばやし》がズバッとぬいていった。

「箱根学園《はこねがくえん》が長野にぬかれたぞ!!　どうした神奈川《かながわ》!!」

じゃあ、だれだ、あのクモ男は!!

東堂《とうどう》は館林《たてばやし》のことなど気にもとめず、たまらずうしろをふり返った。すると左右にふり子のようにゆれながら上がってくるシルエットが見えた。見おぼえがあった。

夢《ゆめ》なら……さめるな……。

「すげぇ、ダンシングだな」
「あれでよく追いついたな」という観客《かんきゃく》の声。

オレの知っているあいつは、
いつも髪《かみ》を左右にゆらせて
ニヤけた顔で登ってくるんだ――――!!

「ヨオ!!　東堂。どぉだ!!　コンディションは!!」

そうわらいながら巻島《まきしま》があらわれた。巻島が東堂に追いついてきたのだ。

「東堂、オレは上《あ》げめに登ってきたから、ウォームアップはすんでいるぜ。今までになくいい調子《ちょうし》だ」とあせみずくの顔で巻島がニヤリとしている。ついにライバルがやってきた。

東堂《とうどう》は満面《まんめん》のえみをうかべた。やる気がもどってきたのだった――。

「巻《まき》……ちゃん……オレは……たった今、絶好調《ぜっこうちょう》になった‼」

最高潮《さいこうちょう》

最高地点《さいこうちてん》まで残り二キロ――。

レースは、予想外《よそうがい》の展開《てんかい》となっている。

箱根学園大応援団《はこねがくえんだいおうえんだん》の声援《せいえん》がとびかう中、先頭《せんとう》を行くのは、なんと、ゼッケン番号61、長野中央工業《ながのちゅうおうこうぎょう》の館林《たてばやし》だ。観客《かんきゃく》たちもおどろいている。


「勝った……‼」

よもやのダークホース、館林は冷静《れいせい》にレースをよんでいた。

「箱根学園の3番《東堂》は相当《そうとう》、足にきていた。オレのうしろから来てた千葉《ちば》の173番《巻島》のすがたを見て足を止めていた!!

コンディションはおそらく最悪《さいあく》! 千葉もそうだ。フラフラとダンシングしていた!!

もう追ってはこない。

インターハイの山岳《さんがく》リザルトはクライマーの勲章《くんしょう》だ。

ひびけ全国に……!!

オレが〝アルプスの山守《やまもり》〟長野中央の館林元成《もとなり》だ!!!」


ワァーーーーーーーー!!


大歓声《だいかんせい》がひときわ高まる。その中をさっそうとこいでいく館林。その中を……!? いや、中ではない……。館林のうしろのほうがさわがしいのだ。

「むむ、なんで声援がおれのうしろから聞こえるんだーーー!!!」

そのさけびもむなしく、うしろから追ってきた歓声《かんせい》の波《なみ》に館林《たてばやし》は一気にのみこまれた。
その歓声のもととなった二台の自転車とともに。

「クハ!!! 東堂《とうどう》ぉ!!」
「ワッハッハ、巻《まき》ちゃん!!!」

この二人のデッドヒートに、
観客《かんきゃく》は大こうふんだ。

「速《はえ》えええ!!」
「なんだ、あの二人!!」

ドガアアア

「ぬかれた！　くそ‼　なんだ急に、あの二人。くそ、差《さ》がつまらない‼」

館林はうなだれた。ぬかれたばかりの二台の自転車が、うしろからよく見える。

「なんだ、こいつら……一人は異様《いよう》なまでに車体をかたむけて登るダンシング。もう一人はまるでレールの上を走っているようなまったくブレないペダリング。どうして……コンディションは最悪《さいあく》じゃなかったのかよ‼」

好対照《こうたいしょう》なレーシングフォームで坂を登っていく巻島《まきしま》と東堂。館林も懸命《けんめい》にふんでいるが、少しずつはなされていく。

「もう一日目も終盤《しゅうばん》にさしかかろうとしているんだぞ。ここまで六十キロ以上全力《いじょうぜんりょく》で走ってきて、なんでそんなに速《はや》く走れるんだ‼」

館林はおいてきぼりをくらった……。

「箱根学園《はこねがくえん》と千葉《ちば》が前だ。長野《ながの》がぬかれた、どたんばで形勢逆転《けいせいぎゃくてん》っっ!!」

沿道《えんどう》はこうふんのるつぼだ。

巻島《まきしま》と東堂《とうどう》は、待望《たいぼう》の〝二人のマッチレース〟態勢《たいせい》に入った。

勝つのはどちらかだ。二人はコース上の再会《さいかい》をよろこんでいた。

「そうか……あのメガネくんが総北《そうほく》第二のクライマーだったのか!!」

東堂は巻島がチームからはなれて、どうして一人で登ってこられたのか、理由《りゆう》をたずねた。

「アア……、一時は落車《らくしゃ》にまきこまれて最下位《さいかい》だったが、登ってきてくれた……オレたちを引っぱるために」

「あのメガネくんがか……」

「あいつはどうも要領《ようりょう》がわるくて、一コのことしかできない。けど、その一コのことをキッチリ……トコトンやる男なんだわ」

東堂は三下《さんした》あつかいした坂道との会話を思い出していた。

「ならば、レースがおわったら、ねぎらわねばならんな。言わねばならんな、『ありがとう』と!! かれのおかげで、巻《まき》ちゃんとこうして走れる」

「心配すんなショ!! 礼《れい》はオレが先に言っといた!!」

心おきなくできるのだな、本当におまえとの勝負《しょうぶ》が!!

東堂は心が晴《は》れわたる気がした。

そして、あらためて巻島に宣戦布告《せんせんふこく》をした。

「空は青い!! 観客《かんきゃく》もわんさといる!! そして山頂《さんちょう》までオレとおまえの二人だけ!! 残り一キロと数百メートル!!

巻ちゃん、走ろうぜ、巻ちゃん、走ろうぜ、巻ちゃん!!」

巻島《まきしま》は返事をするかわりに、ばしん、と車輪《しゃりん》をぶつけてきた。そして、「クハ!!」とわらった。

東堂《とうどう》は、全身がやる気にみちあふれるのをかんじていた。ロードレースは楽しい。

アスファルトと草のまざったにおい。

ねっとりとしたむし暑《あつ》い夏の空気。

はだに心地《ここち》いい風。

心は高揚《こうよう》し、筋肉《きんにく》は目標《もくひょう》に向かって足をける。

おまえが当たり前のようにそこにいる。

絶対《ぜったい》に山はゆずらないという顔をしてそこにいる!!!

初めて会ったときは、そのタマ虫色の髪《かみ》と変なダンシングにオレは正直おまえをきらった。

気味《きみ》のわるいヤツだと思っていたよ。

けど　今は、真逆《まぎゃく》だ。

「巻《まき》ちゃん、オレは感謝《かんしゃ》せずにはおれんよ。この最高《さいこう》のシチュエーションを用意してくれた山の神に!!」

「クハ、山神《やまがみ》はオメーじゃねェのかよ、ショォッ!!」

巻島はそう言うとマシン一台分、東堂の前に出た。

「総北《そうほく》が前に出たぞ!!」

沿道《えんどう》の観客《かんきゃく》が名場面《めいばめん》を見たとばかりにさけんだ。

それでも東堂はあわてなかった。あわてるどころか満足《まんぞく》げなえみをうかべていた。

楽しいな、巻ちゃん……!!

本当に夢《ゆめ》のようだよ。できればこのときが永遠《えいえん》に続《つづ》いてくれとさえ思うよ。

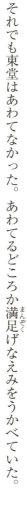

スパイダークライムをくり出す巻島《まきしま》のフォームが目の前で左右にゆれている。東堂《とうどう》はそのすがたを目にやきつけようとした。

「山岳計測《さんがくけいそく》ポイントまでのこり1キロ」のかんばんをすぎた。

だが――。

永遠《えいえん》の時などない。時はすべて一瞬《いっしゅん》。ならばその一瞬をわすれないように心にきざもう。

思いにひたるのはここまでだ。東堂は、前を行く巻島に声をかけた。

「三年間、ともに競いあってくれてありがとう、巻《まき》ちゃん。最終《ラスト》勝負《クライム》だ‼　絶対《ぜったい》に手はぬくなよ」

笑顔《えがお》はいつしか消えて、東堂の目は鬼《おに》のようになっていた。

そして、ふり返った巻島も、いつのまにか鬼の目をしていた。

「手をぬいていたら、ここにはいないっショ、尽八《じんぱち》ィ!!」

二人はあらためてスタートを切るかのように真横《まよこ》にならび、パァンッと手をたたきあった。

「ここから先は、箱根学園《はこねがくえん》とか、背中《せなか》のゼッケンは関係《かんけい》ねぇ。東堂尽八と巻島裕介《ゆうすけ》の二人の男のたたかいだ!!」

ツショオツツツツツツ!!!　尽八イイイ!!

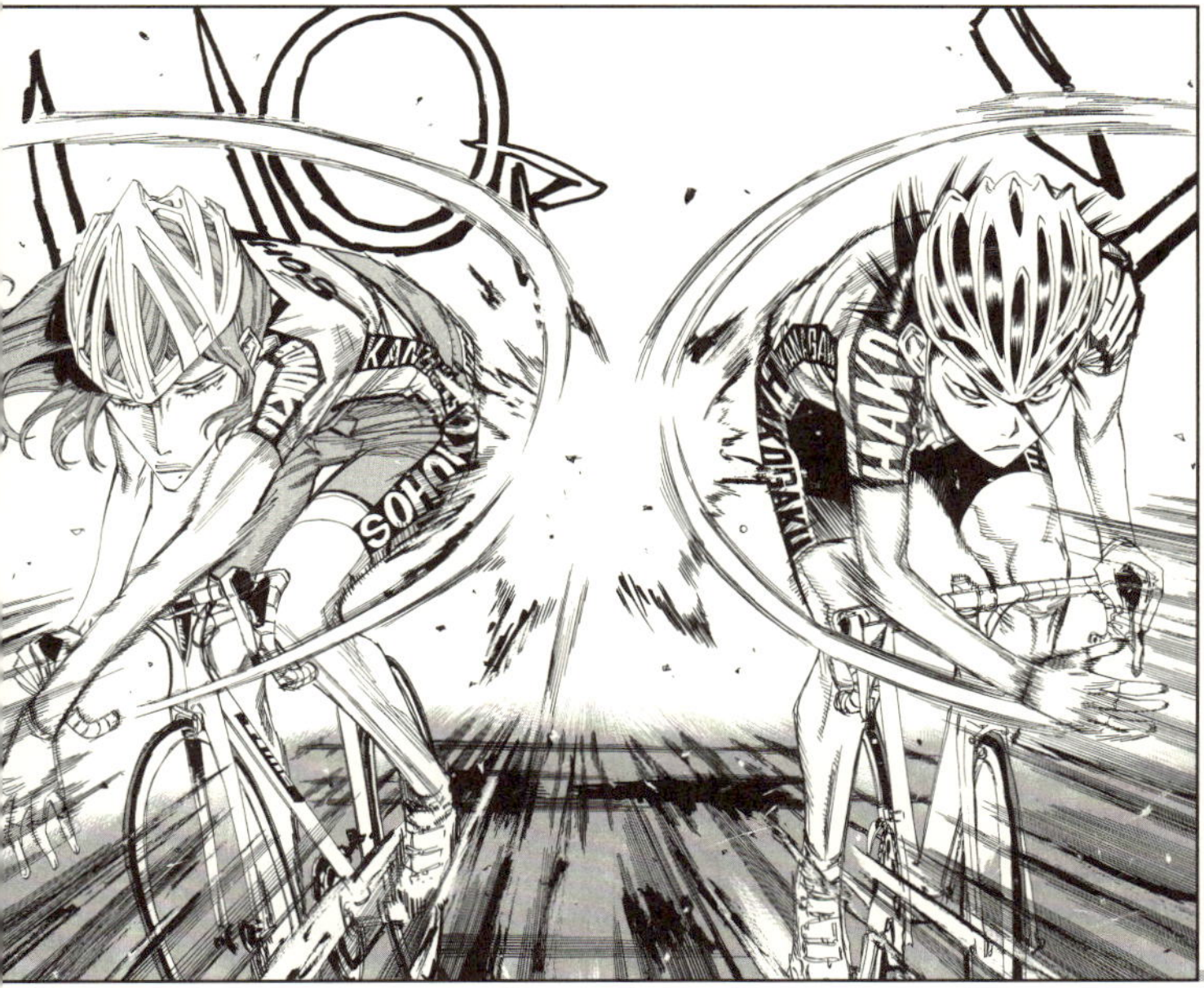

うおおおおおお!!!　巻《まき》ちゃあああん!!

二台は山の風となった。ラストスパートをかける。
残り八百メートルのかんばんを通過《つうか》。

ギャン
ゴアッ

これが――オレたちの最終勝負《ラストクライム》だ!!

巻島《まきしま》も東堂《とうどう》もゆずらない。肩《かた》と肩でバチバチとおしあっている。

「なんだ、あの二人!!!」

「うおおおお、すげえ速《はえ》えっ」

「ハコガクーーーー!!!」

「速ぇえ、ホントに登りかァア!!」

沿道《えんどう》の歓声《かんせい》は最高潮《さいこうちょう》だ。

「ハコガクすげー」

「千葉《ちば》もまけてねェ!!」

「ありゃどっちが山頂《さんちょう》をとるか、わかんねェぞ!!」

「でも、つらそう……。苦しそうな表情《ひょうじょう》をしていたね、二人とも」

「そりゃそうだろう……!! 限界《げんかい》ギリギリで走っているんだからな」

ハァ、はぁ　ハァ、はぁ　ハァ、はぁ

残り四百ゥ!!!

最終勝負《ラストクライム》

ミーン、ミーン、ミーン

セミがやかましくないている。

アタックするクライマーからはなされること数キロあとでは、総北高校《そうほく》と箱根学園《はこねがくえん》がならんで走っている。

総北を引くのは坂道。箱根学園を引くのは真波《まなみ》だ。

真波が坂道に話しかけた。

「今ごろ……たたかってるね、東堂先輩《とうどうせんぱい》と巻島《まきしま》さん」

「うん」

坂道は真波《まなみ》の目を見た。真波は坂道を見返すと話を続《つづ》けた。

「きっと、楽しんでるね」

「えっ」

真波が続けた。

「クライマー同士の山の勝負《しょうぶ》だ。自分の能力《のうりょく》を限界《げんかい》まで引き出して、カラッポになるまでたたかうんだ。楽しくないわけがないじゃないかっ！」

坂道はその言葉にドキッとした。

「小野田くん、今はできないけど、やろうよ。このインターハイで、ボクらも」

坂道はどきどきしてきた。

「ね、限界の、最後《さいご》の一滴《いってき》まで争《あらそ》うようなたたかいを!!」

「うん!!」

それが二人の本当のやくそくかのように、坂道は力強くうなずいた。

東堂と巻島のデッドヒートバトルは続いている。名勝負だ。

ガァーーーーーーーーーー

緑の光線《こうせん》の中を、二台のマシンが走る。
二人がのぞんだデッドヒートが最後の場面《ばめん》をむかえる。

はぁ、はぁ、はぁ、はぁ

尽八《じんぱち》ィ、クハ……おかしいな、尽八ィ、
もうとっくにオレは限界だよ。おまえに追いつくのにちいっとムリをしたからな。

けど、息《いき》もあがって、足もガチガチになってんのに
体のおくが熱《あつ》くなって止まんねェショ!!!

はぁ、はぁ、はぁ、はぁ

巻《まき》ちゃん‼　ふしぎだな、巻ちゃん‼
わかる気がするよ。今、おまえも同じだろ。体がバラバラになりそうなくらいの限界走《げんかいそう》
行《こう》なのに。

ああ、尽八《じんぱち》。

数ミリでいいからこいつ
より先を走れって、
心臓《しんぞう》がポンプすんだ。

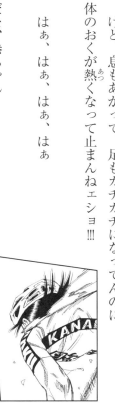

巻ちゃああん!!

尽八ィイイイ!!

山頂《さんちょう》

山頂《さんちょう》まで残り百メートルのかんばんを通過《つうか》。

勝負《しょうぶ》のゆくえは最終局面《さいしゅうきょくめん》をむかえる。

巻島《まきしま》は苦しそうだ。

ペダルが重《おも》てェ……!!

けど、進めぇえええ!!!

うおおお
ショオォ!!

こいつより前へ!!

山頂《さんちょう》まで残り百を切った!!


「どっちだ!!」

「うおお、二人ともならんで来たァァ!!」

「千葉《ちば》、とれ――――!!」

「神奈川《かながわ》ぁ――――!!」

観客《かんきゃく》はいやがおうにももり上がる。

ハァ、ハァ、ハァ、ハァ、ハァ、ハァ、ハァ、ハァ
しびれてきた……もうカラッカラだッ
――けど、出ろォ、もう一滴《いってき》!!
巻島《まきしま》は限界《げんかい》だった。

いや、巻島《まきしま》だけではない。
東堂《とうどう》ももうギリギリだった。息《いき》の音がおかしい。
ゼェッ、ゼェッ、ゼェッ、ゼェッ、ゼェッ、ゼェッ

もう限界点《げんかいてん》をこえてる。
足が鉄みたいにガッチガチになってる。感覚《かんかく》ねェ……。
もう限界頂点《ちょうてん》だ。
限界頂点だ!!

残り八十メートル!!

沿道《えんどう》の両側《りょうがわ》から、たくさんの声援《せいえん》がとぶ。でも、二人にその声は聞こえない。ただ前につっこんでいくだけだ。

ハァ、ハァ、ハァ、ハァ、ハァ、ハァ、ハァ、ハァ
ゼェッ、ゼェッ、ゼェッ、ゼェッ、ゼェッ、ゼェッ

残り七十!!
六十!!
五十!!
四十!!

もうひと登り。もうひと登りで、おわる。
このたたかいがおわる。

三十!!
二十!!

ライン……が見えた!
山頂《さんちょう》ォ……あそこだ!

しぼりきれぇ!!

ハア、ハア、ハァ
ゼエッ、ゼエッ、ゼエッ
ガーーーーーーーーーー!!
ワァアアアアアアアアア!!
残り十メートル!!

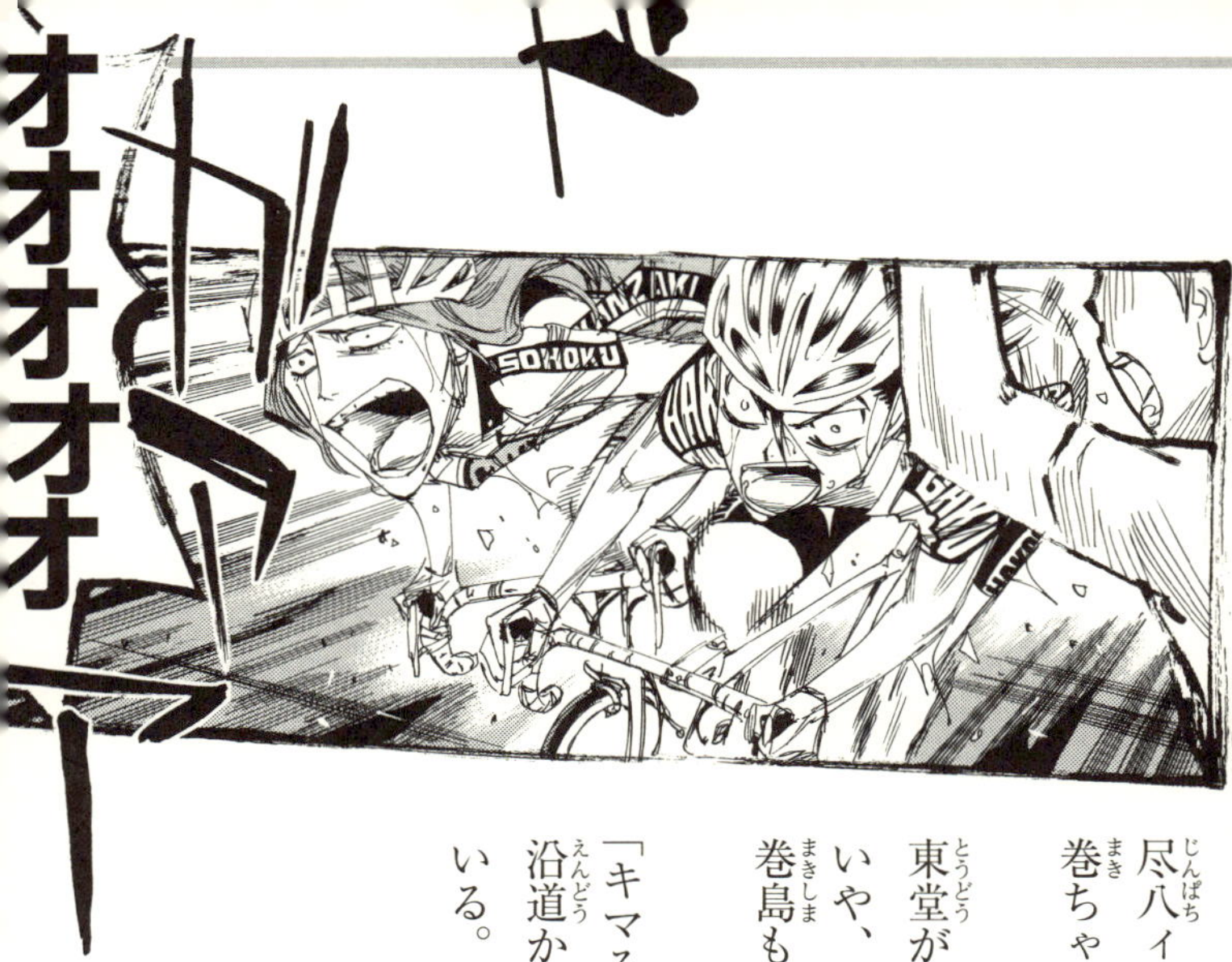

尽八《じんぱち》ィ‼　ショ…………ォ…………‼
巻《まき》ちゃん‼　うぉ…………お…………‼

東堂《とうどう》が出たか。
いや、わからない。
巻島《まきしま》もすがる。

「キマる‼　どっちだ。最強《さいきょう》のクライマーは‼!」
沿道《えんどう》からは、悲鳴《ひめい》にもにた歓声《かんせい》のうずがわき起こっている。

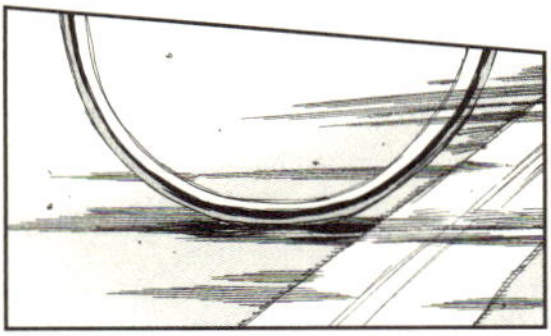

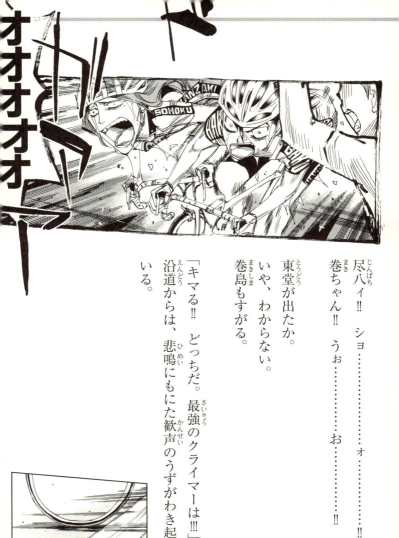

クライマーのゴールは
いつもこうだ。
勝者《しょうしゃ》は
空をあおぎ見《み》、
敗者《はいしゃ》は
うらめしそうに
地面にふす。
箱根学園

「決まったーーァア‼
山頂《さんちょう》は、箱根学園《はこねがくえん》ーーーーーー‼
地元《じもと》神奈川《かながわ》、東堂《とうどう》が山岳《さんがく》リザルトォーーー!!!」

東堂が両手《りょうて》を広げていた。
巻島《まきしま》は地面を見つめた。
山神《やまがみ》が勝った。

「ありがとう。楽しかったよ、三年間」

計測《けいそく》ラインを通過《つうか》するやいなや、東堂《とうどう》は巻島《まきしま》にあくしゅをもとめ、手を差《さ》し出した。

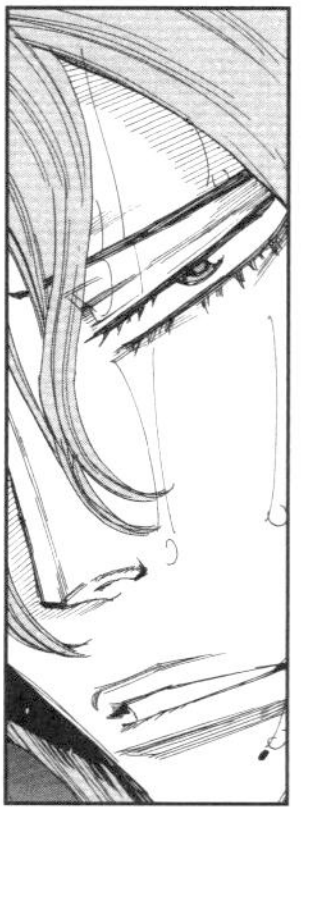

巻島はそれにはこたえず、東堂の目を見やったが、なにも言わなかった。

「もし、おまえがいなかったら、オレはこんなに速《はや》くなれなかった」

と東堂が言うと、「いやみか」と巻島が口をひらいた。

「いや、感謝《かんしゃ》だ」

二人はハイタッチをしようとした。だが、宙《ちゅう》を切ってからぶり。

「む。つかれてるな……」と東堂が言った。

「クハ、おたがいにな」と巻島が言った。

「せーの」

「ショッ」

パァン!!

かろやかな音が空にひびいた!!

夏の空がはてしなく広がり、二人を見おろした。

そして、この空だけが、これからのレースのすべてのゆくえを見守っている……。（続《つづ》く）

C O L U M N

これでキミも自転車通《つう》!

006

ロードバイクの走りを大きく左右するタイヤ。今回はその基本《きほん》を学ぼう!

東堂《とうどう》とのたたかいで巻島《まきしま》のタイヤがパンクしたけれど、レースではよくあること。もちろん、ふだん、走っているときに起こることもあるから、いざというときにあわてないために、まずタイヤの構造《こうぞう》を頭に入れておこう! これでキミも自転車通だ!

タイヤの基本構造《きほんこうぞう》

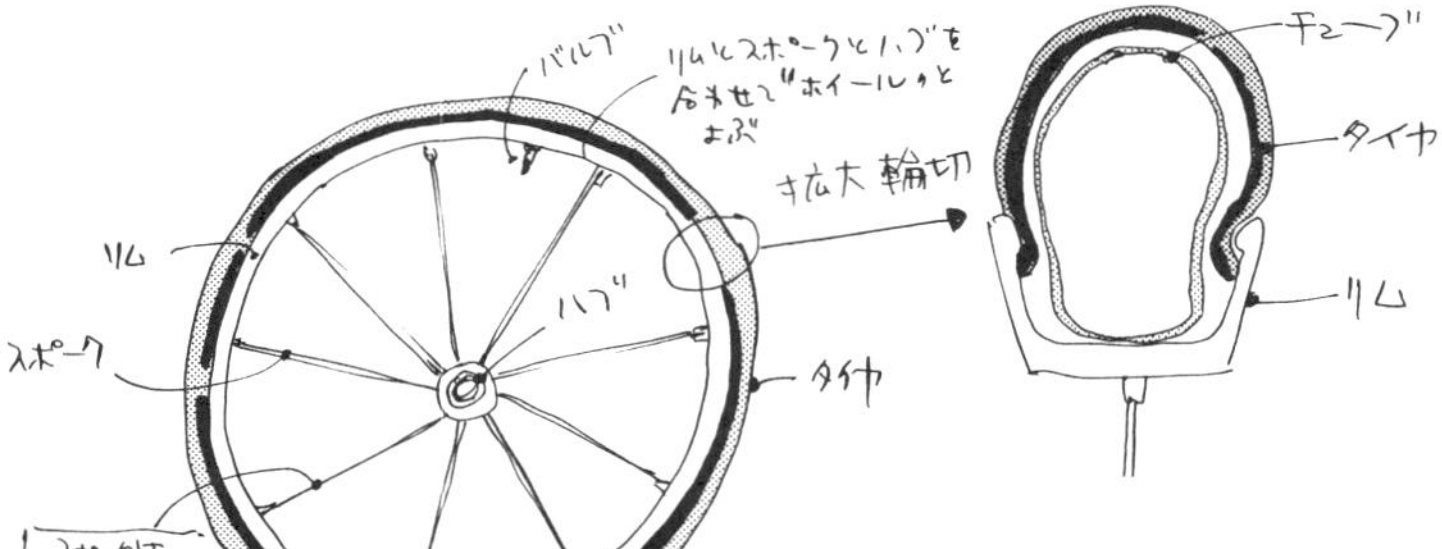

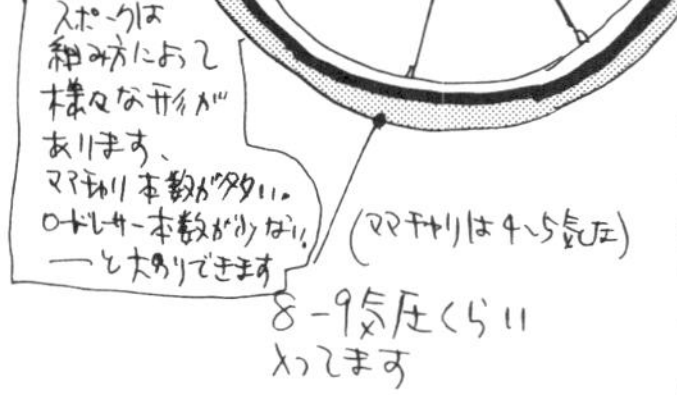

ふだんの生活の中で走る自転車なのか、坂道のようにレースで走るロードレーサーなのかによって、タイヤにもとめられる性能《せいのう》はさまざま。そして、タイヤには、それぞれの用途《ようと》にあわせた空気圧《あつ》もある。自分の“乗りかた”にうまくマッチしたタイヤを選《えら》び、適正《てきせい》な空気圧にすることが快適《かいてき》で、速《はや》くて、安全な走行にむすびつくんだね。

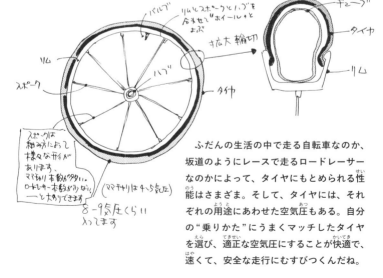

タイヤの太さ

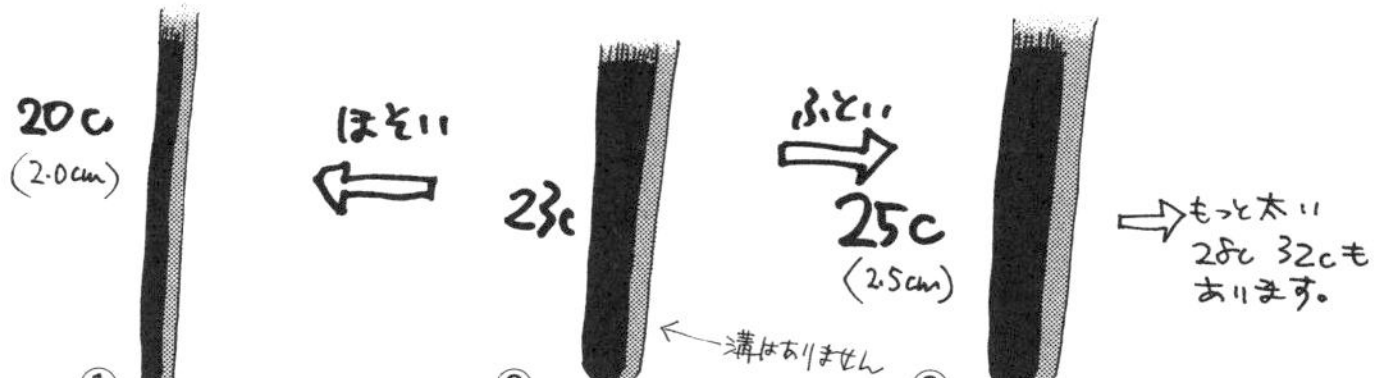

① ヒルクライムなどで接地面積《せっちめんせき》をさらに小さくしたいときに使う。

② 一般的《いっぱんてき》なライディングに向く。

③ 23Cより太い。きびんさはへるが、安定感はふえる。

「23C」は軽いので加速《かそく》がいい。「25C」は地面に接《せっ》する部分が多く、①コーナーのグリップ感が増《ま》す、②乗り心地がよい、③パンクしづらい、などの利点がある。速さを優先《ゆうせん》するのか安定感をもとめるのか、用途《ようと》にあわせて、てきしたタイヤサイズをえらぼう！

こんなことも！ タイヤをあえて変えてみる!!

ロードレーサーのタイヤ（ふつうは23C）を25C〜28Cに変えると、ちょっとまったりとした安定感があり、楽しく走れる。

ぎゃくに25C以上《いじょう》のタイヤでシティサイクルなどに乗っているなら、ロード用の23Cに変えるとキビキビと走れる。

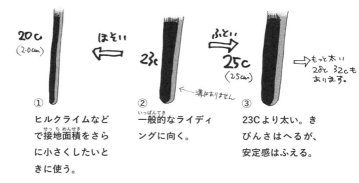

[原作者]
渡辺 航（わたなべ　わたる）
漫画家。長崎県出身。MTBやロードバイクなど自転車をこよなく愛し、『弱虫ペダル』の連載を続けながら、多くのアマチュア自転車レースに参戦している。

[ノベライズ]
輔老 心（すけたけ　しん）
ライター。兵庫県出身。『スーパーパティシエ物語』『いやし犬まるこ』（いずれも岩崎書店）など著書多数。

AD 山田 武　協力 渡邊まゆみ
編集協力 秋田書店

フォア文庫

小説《しょうせつ》 弱虫《よわむし》ペダル6

2021年6月30日　第1刷発行

原作者　渡辺 航
ノベライズ　輔老 心
発行者　小松崎敬子
発行所　株式会社 岩崎書店
〒112-0005 東京都文京区水道1-9-2
電話　03-3812-9131（営業）　03-3813-5526（編集）
00170-5-96822（振替）
印刷・製本所　三美印刷株式会社

ISBN978-4-265-06576-9　NDC913　173×113

岩崎書店ホームページ　https://www.iwasakishoten.co.jp
ご意見をお寄せください　info@iwasakishoten.co.jp
乱丁本・落丁本はお取り替えします。